DIÁRIOS DO VAMPIRO

OBRAS DA AUTORA PUBLICADAS PELA GALERA RECORD

Série **Diários do Vampiro**
O despertar
O confronto
A fúria
Reunião Sombria
O Retorno — Anoitecer
O Retorno — Almas sombrias
O Retorno — Meia-noite
Caçadores — Espectro
Caçadores — Canção da lua
Caçadores — Destino

Série **Diários de Stefan**
Origens
Sede de sangue
Desejo
Estripador
Asilo

Série **Os Originais**
Ascensão
A perda

Série **Círculo Secreto**
A iniciação
A prisioneira
O poder
A ruptura
A caçada
A tentação

Série **Mundo das sombras**
Vampiro secreto
Filhas da escuridão
Submissão mortal

L.J. SMITH

DIÁRIOS DO VAMPIRO
REUNIÃO SOMBRIA

4ª edição

Tradução
Ryta Vinagre

2025

DIAGRAMAÇÃO
Abreu's System

IMAGEM DE CAPA
dundanim / Shutterstock

CIP-BRASIL. CATALOGAÇÃO NA PUBLICAÇÃO
SINDICATO NACIONAL DOS EDITORES DE LIVROS, RJ

S647d   Smith, L. J.
         Diários do vampiro: reunião sombria / L. J. Smith ; tradução Ryta
    Vinagre. - 4. ed. - Rio de Janeiro : Galera Record, 2025.
         (Diários do vampiro ; 4)

         Tradução de: Dark reunion
         ISBN 978-65-5981-333-9

         1. Ficção americana. I. Vinagre, Ryta. II. Título. III. Série.

23-84592   CDD: 813
                    CDU: 82-3(73)

Gabriela Faray Ferreira Lopes - Bibliotecária - CRB-7/6643

Copyright © 1991 by Daniel Weiss Associates, Inc. and Lisa Smith

Todos os direitos reservados.
Proibida a reprodução, no todo ou
em parte, através de quaisquer meios.
Os direitos morais da autora foram assegurados.

Texto revisado pelo Acordo Ortográfico da Língua Portuguesa de 1990.

Direitos exclusivos de publicação em língua portuguesa somente para o Brasil
adquiridos pela
EDITORA GALERA RECORD LTDA.
Rua Argentina 120 – Rio de Janeiro, RJ – 20921-380 – Tel.: 2585-2000
que se reserva a propriedade literária desta tradução

Impresso no Brasil

ISBN 978-65-5981-333-9

Seja um leitor preferencial Record.
Cadastre-se e receba informações sobre nossos
lançamentos e nossas promoções.

Atendimento e venda direta ao leitor:
sac@record.com.br

1

— As coisas podem ser como eram antes — disse Caroline, entusiasmada, estendendo o braço para apertar a mão de Bonnie.

Mas isso não era verdade. Nada nunca mais poderia ser como era antes da morte de Elena. Nada. E Bonnie tinha sérias dúvidas sobre a festa que Caroline estava tentando organizar. Uma sensação perturbadora e vaga na boca do estômago lhe dizia que, por algum motivo, essa era uma ideia muito, mas muito ruim.

— O aniversário de Meredith *já passou* — observou ela. — Foi no último sábado.

— Mas ela não teve festa, não uma festa de verdade, como essa. Vamos ter a noite toda; meus pais só voltam no domingo de manhã. Vamos lá, Bonnie... Pense na surpresa que vai ser para ela.

Ah, ela vai ficar surpresa mesmo, pensou Bonnie. Tão surpresa que pode até querer me matar depois.

— Olha, Caroline, o motivo para Meredith não ter dado uma grande festa é que ela ainda não está em clima de comemoração. Parece... falta de respeito, de certo modo...

— Mas isso é um *erro*. Elena ia querer que a gente se divertisse, você sabe disso. Ela adorava festas. E odiaria saber que ficamos sentadas e chorando mais de seis meses depois de ela ter morrido. — Caroline se inclinou para a frente, os olhos verdes normalmente felinos agora francos e convincentes. Nada de artifícios nem da habitual manipulação desagradável de Caroline. Bonnie sabia que ela estava sendo sincera.

— Eu queria que fôssemos amigas como éramos antes — disse Caroline. — Sempre comemorávamos nossos aniversários juntas, só nós quatro, lembra? E lembra que os garotos sempre tentavam invadir nossas festas? Será que vão tentar esse ano?

Bonnie sentiu o controle da situação lhe escapar. Era uma má ideia, esta era uma péssima ideia, pensou ela. Mas Caroline continuava, com um olhar sonhador e quase romântico, lembrando dos bons e velhos tempos. Bonnie não teve coragem de dizer a ela que os bons e velhos tempos estavam tão mortos quanto a música disco.

— Mas nem somos mais quatro. Três não dão lá uma festa muito boa — protestou ela bem baixinho quando conseguiu dizer alguma coisa.

— Vou convidar a Sue Carson também. Meredith se dá bem com ela, né?

Bonnie tinha de admitir que sim; todo mundo se dava bem com Sue. Mas mesmo assim, Caroline precisava entender que as coisas não podiam ser como antes. Não se pode substituir Elena por Sue Carson e dizer, pronto, agora está tudo consertado.

Mas como explicar isso a Caroline?, pensou Bonnie. De repente ela teve uma ideia.

— Vamos convidar Vickie Bennett — disse ela.

Caroline a olhou.

— *Vickie Bennett?* Deve estar brincando. Convidar aquela idiotinha esquisita que tirou a roupa na frente de metade da escola? Depois de tudo o que aconteceu?

— *Por causa* de tudo o que aconteceu — disse Bonnie com firmeza. — Olha, sei que ela nunca foi da nossa turma. Mas ela não está mais com aquela galera barra pesada; eles não a querem e ela morre de medo deles. Ela precisa de amigos. Nós precisamos de gente. Vamos convidá-la.

Por um momento, Caroline ficou frustrada. Bonnie empinou o queixo, pôs as mãos nos quadris e esperou. Por fim, Caroline suspirou.

— Tudo bem; você venceu. Vou convidá-la. Mas você tem que levar Meredith na minha casa no sábado à noite. E Bonnie... Cuide para que ela não tenha a menor ideia do que vai acontecer. Quero que seja uma surpresa de verdade.

— Ah, e será mesmo — disse Bonnie, de cara amarrada. Ela não estava preparada para a luz repentina na expressão de Caroline ou o calor impulsivo de seu abraço.

— Que bom que você finalmente começou a ver as coisas do meu jeito — disse Caroline. — E vai ser tão bom a gente se reunir de novo.

Ela não entendeu nada, percebeu Bonnie, chocada, enquanto Caroline se afastava. O que será que vou ter de fazer para explicar? Dar um soco nela?

E depois: Ah, meu Deus, agora tenho que contar a Meredith.

Mas, no fim do dia, ela decidiu que talvez Meredith não precisasse saber. Caroline queria surpreender Meredith; bom, talvez Bonnie devesse dar essa surpresa a ela. Assim pelo menos Meredith não teria de se preocupar com isso de antemão. Sim, concluiu Bonnie, devia ser mais generoso *não* contar nada a Meredith.

E quem sabe, escreveu ela no diário na sexta à noite. *Talvez eu esteja sendo dura demais com Caroline. Talvez ela lamente de verdade por todas as coisas que nos fez, tipo tentar humilhar Elena na frente de toda a cidade ou tentar fazer com que Stefan fosse acusado de assassinato. Talvez Caroline tenha amadurecido desde então e tenha aprendido a pensar nos outros, não só em si mesma. Talvez a gente realmente consiga se divertir nessa festa.*

E talvez eu seja abduzida por alienígenas amanhã à tarde, pensou Bonnie ao fechar o diário. Só o que lhe restava era a esperança.

O diário era um caderno barato, a capa estampada de florzinha. Ela só começou a escrever quando Elena morreu, mas já estava meio viciada nisso. Era o único lugar em que podia dizer o que quisesse sem que os outros ficassem chocados e dissessem, "Bonnie McCullough!" ou "Ah, *Bonnie*".

Ela ainda estava pensando em Elena quando apagou a luz e se aninhou debaixo das cobertas.

Ela estava sentada no gramado bonito e bem cuidado que se estendia para todo lado, até onde a vista alcançava. O céu era de um azul impecável, o ar era cálido e perfumado. Passarinhos cantavam.

"Que bom que você pôde vir", disse Elena.

"Ah... sim", disse Bonnie. "Bom, naturalmente eu viria. É claro." Ela olhou em volta de novo, depois apressadamente para Elena.

"Mais chá?"

Havia uma xícara na mão de Bonnie, fina e frágil como casca de ovo.

"Ah... Sim. Obrigada."

Elena estava com um vestido do século XVIII de musselina branca de gaze, que se grudava em sua pele, mostrando como era magra. Serviu o chá com precisão, sem derramar uma gota.

"Gostaria de um rato?"

"Um *o quê?*"

"Eu disse: gostaria de um sanduíche para acompanhar o chá?"

"Ah. Um sanduíche. Sim. Ótimo." Era de pepino, em fatias finas com maionese em um delicado quadrado de pão branco. Sem a casca.

A cena toda era tão bela e cintilante quanto uma tela de Seurat. Warm Springs, era onde estávamos. O antigo parque de piquenique, pensou Bonnie. Mas, sem dúvida, temos coisas mais importantes a discutir do que o chá.

"Quem tem arrumado seu cabelo ultimamente?", perguntou Bonnie. Elena jamais conseguiu fazer isso sozinha.

"Você gosta?" Elena pôs a mão no cabelo sedoso e dourado-claro que formava um coque na nuca.

"É perfeito", disse Bonnie, parecendo por tudo no mundo a própria mãe num jantar das Filhas da Revolução Americana.

"Bom, o cabelo é importante, sabia?" Seus olhos brilharam com um azul mais escuro do que o céu, de lápis-lazúli. Bonnie tocou os cachos ruivos e abundantes, meio constrangida.

"É claro que o sangue também é importante", disse Elena.

"Sangue? Ah, sim... claro", disse Bonnie, aturdida. Não fazia ideia do que Elena estava falando e lhe parecia que estavam andando numa corda bamba acima de crocodilos. "Sim, o sangue de fato é muito importante", concordou ela, desanimada.

"Mais um sanduíche?"

"Obrigada." Este era de queijo com tomate. Elena escolheu um para si, mordendo-o delicadamente. Bonnie a olhou, sentindo a inquietação crescer a cada minuto dentro de si, e depois...

E depois ela viu a lama vazando pelas beiradas do sanduíche.

"O que... *O que é isso?*" O pavor deixou sua voz estridente. Pela primeira vez, o sonho parecia um sonho e Bonnie descobriu que não conseguia se mexer, só ofegar e olhar. Uma massa espessa da coisa marrom caiu do sanduíche de Elena, sobre a toalha xadrez de mesa. Era lama mesmo. "Elena... Elena, o que..."

"Ah, nós comemos isso por aqui." Elena sorriu com os dentes sujos de marrom. Só que a voz não era de Elena; era feia e distorcida, e era uma voz masculina. "Você vai comer também."

O ar não era mais cálido e perfumado; era quente e de um doce enjoativo, tinha cheiro de lixo podre. Havia covas escuras no gramado, que não era aparado e crescia desordenadamente. Não era Warm Springs. Ela estava no antigo cemitério — como não tinha percebido isso? Só que os túmulos eram novos.

"Mais um rato?", disse Elena, e riu de forma obscena.

Bonnie olhou o sanduíche meio comido em sua mão e gritou. Havia um rabo marrom e viscoso pendurado na ponta. Ela o atirou com toda força que conseguiu reunir em uma lápide, na qual ele bateu e se espatifou. Depois ela se levantou, o estômago revirado, esfregando os dedos freneticamente no jeans.

"Não pode ir embora agora. Os convidados estão chegando." O rosto de Elena se transformava; ela já havia perdido o cabelo, e sua pele ficava aos poucos cinza e curtida. Coisas se mexiam no prato de sanduíches e nas covas, agora abertas. Bonnie não queria ver nada disso; achou que, se visse, ia enlouquecer.

"Você não é a Elena!", gritou ela, e correu.

O vento jogou o cabelo em seus olhos e ela não conseguia enxergar. O perseguidor estava atrás dela; Bonnie podia sentir, bem atrás. Para a ponte, pensou Bonnie, correndo até esbarrar em alguma coisa.

"Estive esperando por você", disse a coisa com o vestido de Elena, a coisa esquelética e cinza com dentes compridos e tortos. "Bonnie, me escute." Isso a reteve com uma força terrível.

"Você não é Elena! Você não é Elena!"

"Ouça, Bonnie!"

Era a voz de Elena, a verdadeira voz de Elena, não parecia satisfeita e sorridente, nem densa e fria, mas urgente. Vinha de algum lugar atrás de Bonnie e cortou o sonho como um vento frio e fresco. "Bonnie, preste atenção, rápido..."

Tudo se desmanchava. As mãos ossudas nos braços de Bonnie, o cemitério rastejante, o ar quente e rançoso. Por um momento a voz de Elena ficou clara, mas era entrecortada como uma ligação interurbana ruim.

"... Ele está distorcendo as coisas, alterando tudo. Não sou tão forte quanto ele..." Bonnie perdeu algumas palavras, "... mas isto é importante. Você precisa descobrir... agora". A voz dela sumia aos poucos.

"Elena, não estou ouvindo! Elena!"

"... um feitiço fácil, só dois ingredientes, aqueles que já disse..."

"Elena!"

Bonnie ainda gritava ao se sentar na cama.

2

— É tudo o que me lembro — concluiu Bonnie enquanto ela e Meredith andavam pela Sunflower Street em meio a fileiras de casas vitorianas altas.

— Mas era mesmo Elena?

— Era, e no final ela tentou me dizer alguma coisa. Mas essa parte não ficou clara, só que era importante, importante de verdade. O que você acha?

— Sanduíches de rato e covas abertas? — Meredith arqueou uma sobrancelha elegante. — Acho que você está misturando Stephen King com Lewis Carroll.

Bonnie achou que Meredith devia ter razão. Mas o sonho ainda a incomodava, espreitando-a o dia todo, o suficiente para tirar as preocupações anteriores de sua cabeça. Agora, enquanto ela e Meredith se aproximavam da casa de Caroline, as antigas preocupações voltaram — de forma intensa e violenta.

Devia ter contado a Meredith sobre isso, pensou Bonnie, lançando olhares de esguelha e inquietos para a menina mais alta. Não devia deixar que Meredith entrasse lá despreparada...

Meredith levantou a cabeça, olhando as janelas iluminadas da casa Queen Anne com um suspiro.

— Você precisa *mesmo* daqueles brincos para hoje?

— Sim, preciso; sim, totalmente. — Tarde demais. Podia muito bem aproveitar isso ao máximo. — Você vai adorar quando os vir — acrescentou ela, ouvindo o tom de desespero esperançoso na própria voz.

Meredith parou e seus olhos escuros e perspicazes examinaram atentamente a cara de Bonnie. Depois bateu na porta.

— Só espero que Caroline não esteja em casa. A gente pode acabar tendo que ficar com ela.

— Caroline, em casa no sábado à noite? Não seja ridícula. — Bonnie tinha prendido a respiração por tempo demais; estava começando a ficar tonta. Seu riso saiu fraco e falso. — Que ideia — continuou ela um tanto nervosamente enquanto Meredith dizia, "Acho que não *tem ninguém* em casa" e experimentava a maçaneta. Tomada por um impulso incontrolável, Bonnie acrescentou: — Ta-táááááá.

Com a mão na maçaneta, Meredith ficou paralisada e se virou para Bonnie.

— Bonnie — disse ela, baixinho —, você está bem?

— Não. — Sem graça, Bonnie pegou o braço de Meredith e encarou com urgência seus olhos. A porta se abria sozinha. — Ah, meu Deus, Meredith, por favor, não me mate...

— *Surpresa!* — gritaram três vozes.

— Sorria — sibilou Bonnie, empurrando pela porta a amiga subitamente resistente. Entraram na sala iluminada, cheia de barulho com uma chuva de confetes de boas-vindas. Ela abriu um sorriso desvairado e falou entredentes. — Me mate depois... eu mereço... mas agora, só sorria.

Havia balões, uma decoração sofisticada, e um monte de presentes na mesa de centro. Havia até um arranjo de flores, embora Bonnie tenha percebido que as orquídeas combinavam perfeitamente com o cachecol verde-claro de Caroline. Era de seda, Hermès, com padrão de uvas e folhas. Aposto que ela vai acabar usando uma daquelas orquídeas no cabelo, pensou Bonnie.

Os olhos azuis de Sue Carson estavam meio ansiosos, o sorriso hesitante.

— Espero que não tenha nenhum grande plano para esta noite, Meredith — disse ela.

— Nada que não possa deixar para depois — respondeu Meredith. Mas ela sorria também, com uma cordialidade irônica, e Bonnie relaxou. Sue foi a princesa do Baile na corte de Elena, junto com Bonnie, Meredith e Caroline. Foi a única menina da escola, além de Bonnie e Meredith, que deu apoio a Elena quando todo mundo virou as costas a ela. Nos funerais, ela disse que Elena sempre seria a verdadeira rainha da Robert E. Lee, e desistira de sua candidatura para Rainha da Neve em memória de Elena. Ninguém podia odiar Sue. O pior já passou, pensou Bonnie.

— Quero tirar uma foto de todas nós juntas no sofá — disse Caroline, posicionando-as atrás do arranjo de flores. — Vickie, você pode tirar?

Vickie Bennett tinha ficado num canto, em silêncio, sem ser percebida. Agora disse, "Ah, claro" e, nervosa, tirou o cabelo castanho-claro e comprido dos olhos enquanto pegava a câmera.

Como se fosse uma espécie de serviçal, pensou Bonnie, depois o flash a ofuscou.

Enquanto a polaroide processava a foto e Sue e Caroline riam e contornavam o comportamento seco de Meredith, Bonnie percebeu outra coisa. Era uma boa foto; Caroline estava deslumbrante, como sempre, com o cabelo castanho-arruivado cintilante e as orquídeas verde-claras diante dela. E havia Meredith, parecendo resignada, irônica e sombriamente bonita sem precisar se esforçar, e ela mesma, com a cabeça mais baixa do que a das outras, os cachos ruivos desgrenhados e uma expressão tímida. Mas o estranho era a figura ao lado delas no sofá. Era Sue, é claro que era Sue, mas por um momento o cabelo louro e os olhos azuis pareciam pertencer a outra pessoa. Alguém que olhava para ela com urgência, prestes a dizer algo importante. Bonnie franziu o cenho para a foto, piscando rapidamente. A imagem oscilou diante de seus olhos e um arrepio de mal-estar correu por sua espinha.

Não, era apenas Sue na foto. Por um minuto ela deve ter se confundido, ou estava se deixando afetar pelo desejo de Caroline de que elas "ficassem juntas de novo".

— Vou tirar a próxima — disse ela, levantando-se num salto. — Sente-se, Vickie. Não, mais longe, mais longe... Aí! — Todos os movimentos de Vickie eram rápidos, leves e nervosos. Quando o flash se apagou, ela olhava como um animal assustado prestes a fugir.

Caroline mal olhou esta foto, levantando-se e indo para a cozinha.

— Em vez de bolo, adivinha o que eu preparei? — disse ela. — Estou fazendo minha própria versão de uma sobremesa de matar. Vamos, vocês têm de me ajudar a derreter a calda. — Sue a seguiu e, depois de uma pausa insegura, Vickie também.

Os últimos vestígios da expressão simpática de Meredith evaporaram e ela se virou para Bonnie.

— Devia ter me contado.

— Eu sei. — Bonnie baixou a cabeça docilmente por um minuto. Depois a levantou e sorriu. — Mas você não teria vindo e nós não provaríamos uma sobremesa de matar.

— Então vale a pena?

— Bem, ajuda — disse Bonnie, com um ar racional. — Na verdade, não deve ser tão ruim. Caroline está mesmo tentando ser legal e é bom para Vickie sair de casa de vez em quando...

— Não parece que está sendo bom para ela — disse Meredith, asperamente. — Parece que ela vai ter um ataque cardíaco.

— Ué, ela só deve estar nervosa. — Na opinião de Bonnie, Vickie tinha bons motivos para ficar nervosa. Ela passou a maior parte do outono anterior em transe, sendo lentamente enlouquecida por um poder que não compreendia. Ninguém esperava que saísse disso tão bem.

O olhar de Meredith ainda era gélido.

— Pelo menos — disse Bonnie, num tom de consolo — não é seu aniversário de verdade.

Meredith pegou a câmera e ficou virando repetidamente. Ainda olhando as próprias mãos, ela disse:

— Mas é.

— Como? — Bonnie olhou e disse mais alto: — *O que foi* que você disse?

— Eu disse que é meu aniversário de verdade. A mãe de Caroline deve ter contado; ela e minha mãe foram amigas há um tempão.

— Meredith, do que está falando? Seu aniversário foi na semana passada. No dia 30 de maio.

— Não foi, não. É hoje, 6 de junho. É verdade; está na minha carteira de motorista e tudo. Meus pais começaram a comemorar uma semana antes porque 6 de junho era um dia perturbador demais para eles. Foi o dia em que meu avô foi atacado e ficou louco. — Enquanto Bonnie arfava, incapaz de falar, ela acrescentou calmamente: — Ele tentou matar minha avó, sabe como é. Tentou me matar também. — Meredith pôs a câmera com cuidado no meio da mesa de centro. — A gente tem que ir para a cozinha — disse ela em voz baixa. — Sinto cheiro de chocolate.

Bonnie ainda estava paralisada, mas sua mente começava a funcionar de novo. Ela se lembrava vagamente de Meredith falando disso, mas na época não contou toda a verdade. E ela não tinha dito quando aconteceu.

— Atacado... Quer dizer, como Vickie foi atacada — soltou Bonnie. Ela não conseguia dizer a palavra *vampiro*, mas sabia que Meredith entendia.

— Como Vickie foi atacada — confirmou Meredith. — Vamos — acrescentou ela, num tom ainda mais baixo. — Elas estão esperando a gente. Eu não pretendia perturbar você.

Meredith não queria me deixar perturbada, então não vou ficar perturbada, Bonnie disse para si mesma, despejando calda quente na sobremesa de chocolate. Embora sejamos amigas desde a primeira série e ela nunca tenha me contado esse segredo.

Por um instante, sua pele se arrepiou e flutuaram palavras nos cantos escuros de sua mente. *Ninguém é o que parece*. Ela havia sido avisada no ano passado pela voz de Honoria Fell falando através dela, e a profecia se provou assustadoramente verdadeira. E se ainda não tivesse acabado?

Depois Bonnie balançou a cabeça, decidida. Não podia pensar nisso agora; tinha de pensar na *festa*. E vou cuidar para que seja uma *boa* festa e que a gente se entenda bem, pensou ela.

Estranhamente, não foi assim tão difícil. Meredith e Vickie não falaram muito no início, mas Bonnie fez o que pôde para ser legal com Vickie, e nem Meredith conseguiu resistir à pilha de presentes na mesa de centro. Quando abriu o último, todas já conversavam e riam. O espírito de trégua e tolerância continuou enquanto elas iam para o quarto de Caroline olhar suas roupas, CDs e álbuns de fotos. Já era quase meia-noite e elas se jogaram em sacos de dormir, ainda conversando.

— Por onde anda Alaric ultimamente? — perguntou Sue a Meredith.

Alaric Saltzman era namorado de Meredith — mais ou menos. Era formado na Universidade Duke com especialização em parapsicologia, e tinha sido chamado a Fell's Church no ano passado, quando começaram os ataques de vampiros. Embora no início fosse um inimigo, ele acabou sendo um aliado — e um amigo.

— Ele está na Rússia — disse Meredith. — Perestroika, sabe? Ele foi para lá para descobrir o que fizeram com os paranormais durante a Guerra Fria.

— O que vai dizer a ele quando voltar? — perguntou Caroline.

Esta era uma pergunta que a própria Bonnie queria ter feito a Meredith. Como Alaric era quase quatro anos mais velho, Meredith disse a ele para esperar até que ela se formasse para falar do futuro dos dois. Mas hoje Meredith completa 18 anos, lembrou-se Bonnie, e a formatura seria dali a duas semanas. O que ia acontecer depois disso?

— Ainda não decidi — disse Meredith. — Alaric quer que eu vá para a Duke e eu fui aceita lá, mas não tenho certeza. Preciso pensar.

Bonnie ficou radiante. Ela queria que Meredith fosse para o Boone Junior College com *ela*, e não fosse embora e se casasse, nem mesmo ficasse noiva. Era idiotice se comprometer com alguém assim tão jovem. A própria Bonnie era famosa porque sua fila andava, indo de menino a menino, a seu bel-prazer. Ela se apaixonava com facilidade e os superava com igual facilidade.

— Ainda não conheci um cara que valesse a fidelidade — dizia agora.

Todas a olharam rapidamente. Sue perguntou com o queixo pousado nos punhos:

— Nem Stefan?

Bonnie devia ter previsto. Sob a luz fraca do abajur e o único som do farfalhar de folhas novas nos salgueiros do lado de fora, era inevitável que a conversa se voltasse para Stefan — e para Elena.

Stefan Salvatore e Elena Gilbert já eram uma espécie de lenda na cidade, como Romeu e Julieta. Quando Stefan chegou a Fell's Church, toda menina o queria. E Elena, a mais linda, mais popular e mais inacessível menina da escola, o queria também. Ela só percebeu o perigo depois de conseguir. Stefan não era o que parecia — tinha um segredo muito mais sombrio do que qualquer pessoa poderia imaginar. E tinha um irmão, Damon, ainda mais misterioso e perigoso do que ele. Elena ficou entre os dois irmãos, amando Stefan, mas atraída irresistivelmente para o furor apaixonado de Damon. No final, ela morreu para salvar os dois e redimir o amor fraterno entre eles.

— Talvez Stefan... Se fosse Elena — murmurou Bonnie, capitulando. O astral tinha mudado. Agora estava tudo silencioso, meio triste, perfeito para confidências noturnas.

— Ainda não acredito que ela se foi — disse Sue em voz baixa, balançando a cabeça e fechando os olhos. — Ela era muito mais cheia de vida do que os outros.

— A chama dela ardia mais forte — disse Meredith, olhando os padrões do abajur rosa e dourado no teto. Sua voz era baixa mas intensa, e parecia a Bonnie que aquelas palavras descreviam Elena melhor do que qualquer outra que tivesse ouvido.

— Algumas vezes eu a odiava, mas nunca pude ignorá-la — admitiu Caroline, os olhos verdes semicerrados com a lembrança. — Ela não era alguém que se pudesse ignorar.

— Uma coisa eu aprendi com a morte dela — disse Sue —, é que isso podia ter acontecido a qualquer uma de nós. Não se pode desperdiçar nada da vida porque nunca se sabe quanto tempo vamos durar.

— Pode ser sessenta anos ou sessenta minutos — concordou Vickie em voz baixa. — Qualquer uma de nós pode morrer esta noite.

Bonnie se remexeu, perturbada. Mas antes que pudesse dizer alguma coisa, Sue repetiu:

— Ainda não acredito que ela morreu. Às vezes sinto que ela está perto da gente, em algum lugar.

— Ah, eu também — disse Bonnie, distraída. Uma imagem de Warm Springs lampejou por sua mente e, por um momento, parecia mais nítida do que o quarto sombrio de Caroline. — Na noite passada, sonhei com Elena e tive a sensação de que ela *estava mesmo* ali, tentando me dizer alguma coisa. Ainda tenho essa sensação — disse ela a Meredith.

As outras observavam em silêncio. Antigamente, todas teriam feito piada se Bonnie sugerisse alguma coisa sobrenatural, mas não agora. Seus poderes paranormais eram inquestionáveis, incríveis e meio apavorantes.

— É mesmo? — sussurrou Vickie.

— O que acha que ela tentava dizer? — perguntou Sue.

— Não sei. No final ela se esforçava ao máximo para manter o contato comigo, mas não conseguiu.

Houve outro silêncio. Por fim Sue disse, hesitante, com uma leve empolgação na voz:

— Você acha... acha que pode fazer contato com *ela*?

Era o que todas se perguntavam. Bonnie olhou para Meredith. Antes, Meredith menosprezara o sonho, mas agora fitava Bonnie nos olhos com seriedade.

— Não sei — disse Bonnie devagar. Visões do pesadelo giravam em volta dela. — Não quero entrar em transe e me abrir ao que pode estar lá fora, disso eu tenho certeza.

— É a única maneira de se comunicar com os mortos? O que acha de uma tábua Ouija ou coisa assim? — perguntou Sue.

— Meus pais têm uma tábua Ouija — disse Caroline, meio alto demais. De repente o clima de silêncio e reserva foi rompido e uma tensão indefinível encheu o ar. Todas se sentaram mais retas e se olharam especulativamente. Até Vickie parecia intrigada, apesar de seu pavor.

— Será que daria certo? — Meredith questionou Bonnie.

— E será que a gente deve tentar? — perguntou-se Sue em voz alta.

— A gente se atreveria? Esta é a questão — disse Meredith. Mais uma vez Bonnie se viu olhando para ela. Ela hesitou um instante, depois deu de ombros. A excitação agitava seu estômago.

— E por que não? — disse Bonnie. — O que temos a perder?

Caroline se virou para Vickie.

— Vickie, tem um armário no pé da escada. A tábua Ouija deve estar lá dentro, na prateleira de cima, com um monte de outros jogos.

Ela nem teve tempo de dizer, "Por favor, pode pegar?" Bonnie franziu a testa e abriu a boca, mas Vickie já estava na porta.

— Você podia ser mais educada — disse Bonnie a Caroline.

— O que é isso, uma imitação da madrasta malvada da Cinderela?

— Ah, tenha dó, Bonnie — disse Caroline com impaciência. — Ela tem sorte por ter sido convidada. E *sabe* disso.

— E eu aqui pensando que ela veio por nosso esplendor coletivo — disse Meredith num tom seco.

— E além de tudo... — Bonnie começou, mas foi interrompida. O barulho era agudo, estridente e perdia sua força no final, mas não havia como confundir. Era um grito. Foi seguido por um silêncio mortal e de repente por uma torrente de gritos penetrantes.

Por um instante, as meninas ficaram paralisadas no quarto. Depois todas dispararam pelo corredor e desceram a escada.

— Vickie! — Meredith, com suas pernas longas, chegou ao pé da escada primeiro. Vickie estava diante do armário, os braços estendidos como que para proteger o rosto. Agarrou-se a Meredith, ainda gritando.

— Vickie, o que foi? — perguntou Caroline, parecendo mais irritada do que assustada. Havia caixas de jogos espalhados pelo chão, e peças de Banco Imobiliário e cartões de Master em toda parte. — Por que está gritando?

— Uma coisa me agarrou! Eu estava alcançando a primeira prateleira e algo me segurou pelo pulso!

— De trás?

— Não! De dentro do armário.

Sobressaltada, Bonnie olhou o interior do armário aberto. Casacos de inverno estavam pendurados numa camada impenetrável, alguns chegando ao chão. Desembaraçando-se delicadamente de Vickie, Meredith pegou um guarda-chuva e começou a futucar os casacos.

— Ah, não... — começou Bonnie involuntariamente, mas o guarda-chuva só encontrou a resistência da roupa. Meredith o usou para empurrar os casacos de lado e revelou a madeira crua da parede do armário.

— Está vendo? Não tem ninguém ali — disse ela, com ânimo. — Mas você sabe como são essas mangas de casaco. Se você se inclinar muito entre elas, aposto que pode sentir os braços de alguém se fechando em você.

Vickie avançou um passo, tocando uma manga pendurada, depois olhando a prateleira de cima. Pôs as mãos no rosto, o longo cabelo sedoso envolvendo seu rosto. Por um instante medonho Bonnie pensou que ela estivesse chorando, depois ouviu suas risadas.

— Ah, meu Deus! Eu pensei mesmo... Ah, que idiotice a minha! Vou arrumar tudo — disse Vickie.

— Depois — disse Meredith com firmeza. — Vamos para a sala.

Bonnie conferiu uma última vez o armário enquanto as meninas saíam dali.

Quando estavam todas reunidas em volta da mesa de centro, com várias lâmpadas apagadas para dar o clima, Bonnie pôs os dedos de leve sobre o pequeno indicador de plástico.

Nunca tinha usado uma tábua Ouija, mas sabia como se fazia. O indicador se mexia, apontando letras e soletrando uma mensagem — isto é, se os espíritos estivessem dispostos a falar.

— Todo mundo tem que tocar aqui — disse Bonnie, e viu as outras obedecerem. Os dedos de Meredith eram longos e mais finos, os de Sue magros e encimados por unhas ovais. As unhas de Caroline eram pintadas num tom de cobre brilhante. As de Vickie eram roídas.

— Agora vamos fechar os olhos e nos concentrar — disse Bonnie em voz baixa. Houve alguns silvos de expectativa enquanto as meninas obedeciam; todas estavam entrando no clima.

— Pensem em Elena. Imaginem Elena. Se ela estiver lá fora, queremos atraí-la para cá.

A sala grande ficou silenciosa. No escuro, por trás das pálpebras fechadas, Bonnie viu cabelos louros claros e olhos de lápis-lazúli.

— Venha, Elena — sussurrou ela. — Fale comigo.

O indicador começou a se mexer.

Nenhuma delas podia estar guiando; todas exerciam pressão de diferentes pontos. No entanto, o pequeno triângulo de plástico deslizava suavemente, com segurança. Bonnie ficou de olhos fechados até que o indicador parou. Apontava para *Sim*.

Vickie soltou o que parecia um leve soluço.

Bonnie observou as outras. Caroline tinha a respiração acelerada, os olhos verdes semicerrados. Sue era a única que mantinha os olhos resolutamente fechados. Meredith estava pálida.

Todas esperavam que ela soubesse o que fazer.

— Continuem concentradas — disse Bonnie. Ela se sentia despreparada e meio idiota, falando com o vento. Mas era a especialista; precisava fazer isso.

— É você, Elena? — perguntou.

O indicador descreveu um pequeno círculo e voltou ao *Sim*.

De repente, o coração de Bonnie batia com tanta força que ela teve medo de que seus dedos tremessem. O plástico na ponta dos dedos parecia diferente, quase eletrificado. Como se uma energia sobrenatural fluísse por ele. Ela não se sentia mais uma idiota. Lágrimas tomaram seus olhos e ela podia ver que os olhos de Meredith também cintilavam. Meredith assentiu para Bonnie.

— Como podemos ter certeza? — dizia Caroline, alto, desconfiada. Caroline não caiu nessa, percebeu Bonnie; ela não sentia como eu. Do ponto de vista paranormal, ela era um fracasso.

O indicador se mexeu de novo, agora tocando letras, com tanta rapidez que Meredith mal teve tempo de entender a mensagem. Mesmo sem pontuação e acentuação, era clara:

CAROLINE NAO SEJA IDIOTA TEM SORTE POR EU FALAR COM VOCE

— Essa é a Elena mesmo — disse Meredith secamente.

— Parece ela, mas...

— Ah, cala a boca, Caroline — disse Bonnie. — Elena, estou tão feliz... — Sua garganta se fechou e ela tentou de novo.

BONNIE NAO HA TEMPO PARE DE CHORAMINGAR E VAMOS AO QUE INTERESSA

E *essa* era Elena também, Bonnie fungou e continuou.

— Eu tive um sonho com você ontem à noite.

CHA

— Sim, chá. — O coração de Bonnie batia mais rápido do que nunca. — Eu queria falar com você, mas as coisas ficaram estranhas e depois perdemos contato...

BONNIE NAO ENTRE EM TRANSE SEM TRANSES SEM TRANSES

— Tudo bem. — Isso respondia à pergunta e ela ficou aliviada por ouvir.

INFLUENCIAS PERVERSAS DISTORCENDO NOSSA COMUNICACAO COISAS RUINS MUITO RUINS AQUI

— Tipo o quê? — Bonnie se aproximou mais da tábua. — Tipo o quê?

NAO HA TEMPO! O indicador pareceu acrescentar o ponto de exclamação. Sacudia violentamente de uma letra a outra como se Elena mal pudesse conter a impaciência. ELE ESTA OCUPADO POSSO FALAR AGORA MAS NAO HA MUITO TEMPO ESCUTE QUANDO PARARMOS SAIAM DA CASA RAPIDO VOCES CORREM PERIGO

— Perigo? — repetiu Vickie, dando a impressão de que ia saltar da cadeira e correr.

ESPEREM PRIMEIRO ESCUTEM A CIDADE TODA CORRE PERIGO

— O que vamos fazer? — disse Meredith de imediato.

VOCES PRECISAM DE AJUDA E DEMAIS PARA VOCES INCRIVELMENTE FORTE AGORA ESCUTEM E SIGAM AS INSTRUCOES PRECISAM FAZER UM FEITICO DE INVOCACAO E OS PRIMEIROS INGREDIENTES SAO C...

De repente, o indicador escapou das letras e voou como louco pela tábua. Apontou para a imagem estilizada da lua, depois o sol, depois para as palavras *Parker Brothers, Inc.*

— Elena!

O indicador voltou às letras.

MAIS UM RATO MAIS UM RATO MAIS UM RATO

— O que está havendo? — Sue exclamou, os olhos agora arregalados.

Bonnie teve medo. O indicador pulsava de energia, uma energia sombria e feia, como piche fervente que grudava nos dedos. Mas ela também podia sentir o fio prateado e trêmulo: a presença de Elena lutando.

— Não soltem! — gritou ela, desesperada. — Não tirem a mão!

RATOLAMATEMATA, a tábua recitou, veloz. SANGUESANGUESANGUE. E depois... BONNIE SAIA CORRA ELE ESTA AQUI FUJA FUJA FU...

O indicador deu solavancos furiosos, escapando dos dedos de Bonnie e saindo de seu alcance, voando pela tábua e pelo ar como se alguém o tivesse atirado. Vickie gritou. Meredith pulou de pé.

Então todas as luzes se apagaram, mergulhando a casa na completa escuridão.

3

Os gritos de Vickie ficaram descontrolados. Bonnie podia sentir o pânico subindo pelo peito, dominando-a.

— Vickie, pare! Vamos, temos que sair daqui! — Meredith gritava para ser ouvida. — Caroline, é a sua casa; todo mundo de mãos dadas e você nos leva para a porta da frente.

— Tudo bem — disse Caroline. Ela não parecia tão apavorada quanto as outras. Esta era a vantagem de não ter imaginação, pensou Bonnie. Não se podia imaginar as coisas terríveis que iam te acontecer.

Ela se sentiu melhor com a mão fria e estreita de Meredith apertando a dela. Ela tateou o outro lado e pegou a mão de Caroline, sentindo suas unhas compridas e firmes.

Bonnie não conseguia enxergar nada. A essa altura, seus olhos deviam ter se adaptado ao escuro, mas ela não conseguia distinguir nem um fiapo de luz ou sombra quando Caroline começou a guiá-las. Não havia luz da rua entrando pelas janelas; o Poder parecia estar em toda parte. Caroline xingou, esbarrando em algum móvel, e Bonnie esbarrou nela.

Vickie gemia levemente atrás na fila.

— Aguenta — sussurrou Sue. — Aguenta, Vickie, a gente vai conseguir.

Elas fizeram um progresso lento e laborioso pelo escuro. Depois Bonnie sentiu lajota sob os pés.

— Este é o hall da frente — disse Caroline. — Fiquem aqui um minuto enquanto acho a porta. — Seus dedos se soltaram dos de Bonnie.

— Caroline! Não solte... Aonde você vai? Caroline, me dê sua mão! — gritou Bonnie, tateando freneticamente sem enxergar.

No escuro, uma coisa grande e úmida prendeu seus dedos. Era a mão de alguém. E não era de Caroline.

Bonnie gritou.

Vickie de imediato a acompanhou, berrando, desesperada. A mão úmida e quente puxava Bonnie para a frente. Ela esperneou, lutando, mas não fez diferença. Depois sentiu os braços de Meredith em sua cintura, pegando-a por trás. E Bonnie finalmente se libertou da mão grande que a segurava.

Em seguida ela estava se virando e correndo, só correndo, mal percebendo que Meredith estava ao lado. Bonnie não tinha consciência nenhuma de que ainda gritava, até que uma poltrona grande impediu seu progresso e ela se ouviu.

— Silêncio! Bonnie, silêncio, para! — Meredith a sacudia. As duas tinham deslizado do encosto da poltrona para o chão.

— Uma coisa me pegou! Uma coisa me pegou, Meredith!

— Eu sei. Fica quieta! Ainda está por aqui — disse Meredith. Bonnie pressionou o rosto no ombro de Meredith para não gritar de novo. E se aquilo estivesse na sala com elas?

Os segundos se arrastaram e o silêncio se adensava em volta delas. Por mais que Bonnie se esforçasse, não conseguia ouvir som nenhum, só a própria respiração e o bater surdo de seu coração.

— Escute! Temos que achar a porta dos fundos. Agora acho que estamos na sala de estar. Isso quer dizer que a cozinha fica bem atrás da gente. Temos que chegar lá — disse Meredith em voz baixa.

Bonnie começou a assentir, infeliz, mas de repente ergueu a cabeça.

— Cadê a Vickie? — sussurrou ela com a voz rouca.

— Não sei. Tive que soltar a mão dela para puxar você daquela coisa. Vamos.

Bonnie a puxou de volta.

— Mas por que ela não está gritando?

Um tremor tomou o corpo de Meredith.

— Não sei.

— Ah, meu Deus. Ah, meu Deus. Não podemos deixá-la, Meredith.

— *Temos* que fazer isso.

— *Não podemos*, Meredith. Eu convenci Caroline a convidar Vickie. Se não fosse por mim, ela não estaria aqui. Temos que tirá-la daqui.

Houve uma pausa, depois Meredith sibilou:

— Tá bom! Mas você escolhe umas horas muito esquisitas para ser nobre, Bonnie.

Uma porta se fechou e as duas deram um pulo. Depois o som de alguma coisa batendo, como passos na escada, pensou Bonnie. E, brevemente, uma voz se elevou.

— Vickie, cadê você? Não... Vickie, não! Não!

— Essa foi a Sue — disse Bonnie, ofegante, num salto. — Veio da escada!

— Por que não temos uma *lanterna*? — Meredith estava furiosa.

Bonnie entendeu o que ela quis dizer. Estava escuro demais para correr a esmo pela casa; era apavorante demais. Havia um pânico primitivo martelando em seu cérebro. Ela precisava de luz, qualquer luz.

Bonnie não podia voltar a tatear o escuro, exposta de todos os lados. Não *podia* fazer isso.

Entretanto, deu um passo trêmulo para longe da poltrona.

— Vamos — disse Bonnie ofegante, e Meredith a acompanhou, passo a passo, pelo escuro.

Bonnie ainda esperava que a mão quente e úmida a alcançasse e a pegasse de novo. Cada centímetro de sua pele formigava de expectativa desse toque, em especial a própria mão, que ela mantinha estendida para reconhecer o caminho.

E ela cometeu o erro de se lembrar do sonho.

Imediatamente, o cheiro doce e enjoativo de lixo a tomou. Bonnie imaginou coisas se rastejando e se lembrou da cara de

Elena, cinza e careca, com lábios murchos nos dentes arreganhados. Se *essa coisa* a pegasse...

Não posso avançar mais; não posso, não posso, pensou ela. Lamento por Vickie, mas não posso continuar. Por favor, me deixa parar aqui.

Ela estava agarrada a Meredith, quase chorando. Depois, do segundo andar, veio o som mais apavorante que Bonnie ouviu na vida.

Foi uma série de ruídos, mas todos em sequência, formando uma onda de barulho terrível. Primeiro houve gritos, Sue aos berros, "Vickie! Vickie! Não!" Depois um baque alto, vidro se quebrando, como se cem janelas se espatifassem de uma vez. E por cima disso um grito contínuo, de puro e intenso terror.

E então tudo parou.

— *O que foi isso*? O que houve, Meredith?

— Alguma coisa ruim. — A voz de Meredith era tensa e sufocada. — Alguma coisa muito ruim. Bonnie, me solta. Vou lá ver.

— Sozinha não, não pode ir sozinha — disse Bonnie com veemência.

Elas acharam a escada e subiram. Quando chegaram ao patamar, Bonnie podia ouvir um som esquisito e estranhamente nauseante, o tinido de cacos de vidro caindo.

E então as luzes se acenderam.

Foi repentino demais; Bonnie gritou sem querer. Virando-se para Meredith, quase gritou de novo. O cabelo preto de

Meredith estava desgrenhado e as maçãs do rosto pareciam acentuadas demais; o rosto era pálido e encovado de medo.

E o tinido continuava.

Era *pior* com a luz acesa. Meredith ia para a última porta do corredor, de onde vinha o barulho. Bonnie a seguiu, mas de repente entendeu, em seu íntimo, que não queria ver o que estava dentro daquele quarto.

Meredith abriu a porta. Ficou paralisada por um minuto na soleira e avançou rapidamente para dentro. Bonnie partiu para a porta.

— *Ai, meu Deus, não entre!*

Bonnie não hesitou. Enfiou-se porta adentro, mas se deteve de repente. À primeira vista, parecia que toda a lateral da casa desaparecera. As janelas francesas que ligavam o quarto principal à sacada pareciam ter explodido para fora, a madeira lascada, o vidro espatifado. Cacos pequenos de vidro pendiam precariamente aqui e ali nos restos dos caixilhos, tinindo ao cair.

Cortinas brancas e diáfanas flutuavam ao sabor do vento, para dentro e para fora do buraco que agora havia na casa. Na frente, em silhueta, Bonnie pôde ver Vickie. Estava de pé, com as mãos ao lado do corpo, imóvel como um bloco de pedra.

— Vickie, você está bem? — Bonnie ficou tão aliviada ao vê-la viva que chegava a doer. — Vickie?

Vickie não se virou, nem respondeu. Bonnie a contornou com cautela, observando em seu rosto. Vickie olhava apenas para a frente, as pupilas mínimas. Respirava curto, assoviando, o peito se erguendo.

— Eu sou a próxima. Ele disse que eu sou a próxima — sussurrava sem parar, mas não parecia falar com Bonnie. Nem parecia ver que Bonnie estava ali.

Tremendo, Bonnie cambaleou. Meredith estava na sacada. Virou-se enquanto Bonnie chegava às cortinas e tentou impedir sua passagem.

— Não olhe. Não olhe para baixo — disse ela.

Para baixo *onde*? De repente Bonnie entendeu. Passou esbarrando em Meredith, que a pegou pelo braço para impedi-la de ficar à beira de uma queda vertiginosa. A grade da sacada tinha sido arrancada como as janelas francesas e Bonnie podia ver o jardim iluminado embaixo. No chão, havia uma figura retorcida como uma boneca quebrada, braços e pernas tortos, o pescoço num ângulo grotesco, o cabelo louro em leque no chão escuro do jardim. Era Sue Carson.

Em toda a confusão que se passou depois disso, dois pensamentos competiam pela mente de Bonnie. Um era que Caroline nunca teria seu quarteto de novo. Outro era que não era justo que isso tivesse acontecido no aniversário de Meredith. Simplesmente não era justo.

— Desculpe, Meredith. Não acho que ela esteja disposta agora.

Apática, Bonnie ouviu a voz do pai na porta da frente enquanto colocava o adoçante numa xícara de chá de camomila. Ela baixou a colher de pronto. Não estava era disposta a ficar sentada na cozinha por nem mais um minuto. Precisava sair.

— Eu vou ficar bem, pai.

A aparência de Meredith era ainda pior que a da noite anterior: a cara abatida, os olhos sombrios. A boca se apertava numa linha estreita.

— Só vamos dar um passeio de carro — disse Bonnie ao pai. — Talvez ver o pessoal. Afinal, você mesmo disse que não tem perigo, né?

O que ele poderia dizer? O sr. McCullough baixou os olhos para sua filha baixinha, que empinava o queixo teimoso que herdara dele e o fitava nos olhos com franqueza. Ele levantou as mãos.

— Já são quase quatro horas. Volte antes do anoitecer — disse ele.

— Como se fizesse alguma diferença — disse Bonnie a Meredith enquanto ia para o carro da amiga. Depois de entrarem, as duas trancaram rapidamente as portas.

Enquanto Meredith engrenava o carro, lançou para Bonnie um olhar de compreensão amarga.

— Seus pais também não acreditam em você.

— Ah, acreditam em tudo o que conto a eles... Menos no que é realmente importante. Como podem ser tão *idiotas*?

Meredith soltou uma risada curta.

— Precisa entender o ponto de vista deles. Eles acharam um cadáver sem marca nenhuma, só as que foram provocadas pela queda. Descobriram que houve um apagão no bairro por causa de um defeito na Virginia Electric. Eles nos encontraram, desesperadas, dando respostas que devem ter parecido muito esquisitas. Quem fez isso? Um monstro com mãos suadas. Como sabemos? Nossa amiga morta Elena nos contou tudo através de uma tábua Ouija. Não é de admirar que tenham lá suas dúvidas.

— Se eles nunca tivessem visto nada assim na vida — disse Bonnie, batendo na porta do carro com o punho. — *Mas eles já viram*. Será que acham que inventamos aqueles cães que atacaram no Baile da Neve do ano passado? Eles acham que Elena foi morta por uma fantasia?

— Já estão se esquecendo — respondeu Meredith com brandura. — Você mesma previu. A vida voltou ao normal e todo mundo em Fell's Church se sente mais seguro assim. Todos acham que acordaram de um pesadelo, e a última coisa que querem é entrar nele de novo.

Bonnie se limitou a balançar a cabeça.

— Então é mais fácil acreditar que um bando de adolescentes se desesperou brincando com uma tábua Ouija, e que quando a luz voltou entraram em pânico e fugiram. Mas uma delas ficou tão apavorada e confusa que se atirou correndo por uma janela.

— Eu queria que Alaric estivesse aqui — disse Meredith depois de um instante de silêncio.

Normalmente, Bonnie teria lhe dado um cutucão nas costelas e dito, "E *eu* também", numa voz meio depravada. Alaric era um dos caras mais bonitos que ela já vira na vida, mesmo que tivesse apenas 22 anos de idade. Agora, ela só deu um apertão desconsolado no braço de Meredith.

— Não dá para você ligar para ele?

— Na Rússia? Nem sei *onde* ele está na Rússia.

Bonnie mordeu o lábio.

Depois elas se sentaram eretas. Meredith entrava na Lee Street, e no estacionamento da escola elas podiam ver uma multidão.

Ela e Meredith trocaram olhares e Meredith assentiu.

— A gente pode tentar — disse ela. — Vamos ver se eles são mais inteligentes do que os pais.

Bonnie podia ver os rostos assustados virando-se enquanto o carro manobrava lentamente pelo estacionamento. Quando ela e Meredith saíram, as pessoas recuaram, abrindo caminho para as duas até o meio do grupo.

Caroline estava ali, segurando os cotovelos com as mãos e balançando o cabelo castanho-arruivado, distraidamente.

— Só vamos dormir naquela casa de novo depois que for reformada — dizia ela, tremendo em seu suéter branco. — Papai disse que vamos ficar num apartamento em Heron até que tenham acabado.

— Que diferença isso faz? Ele pode seguir você até Heron, eu sei disso — disse Meredith.

Caroline se virou, mas os olhos verdes de gata não encontraram os de Meredith.

— Quem? — disse ela, vagamente.

— Ah, Caroline, você também não! — Bonnie explodiu.

— Eu só quero ir embora daqui — disse Caroline. Seus olhos se ergueram e por um instante Bonnie viu que ela estava apavorada. — Não aguento mais. — Como se tivesse de provar o que dizia naquele minuto, ela abriu caminho aos empurrões pela multidão.

— Deixe Caroline ir, Bonnie — disse Meredith. — É inútil.

— *Ela* é inútil — disse Bonnie, furiosa. Se Caroline, que *sabia*, agia daquela maneira, o que dizer do resto das pessoas?

Ela viu a resposta em cada expressão que a cercava. Todo mundo parecia assustado, apavorado, como se Bonnie e Meredith tivessem levado uma doença medonha a todos. Como se ela e Meredith fossem o problema.

— Não acredito nisso — murmurou Bonnie.

— Eu também não acredito — disse Deanna Kennedy, amiga da Sue. Estava na frente da multidão e não parecia tão inquieta como os outros. — Conversei com Sue ontem à tarde e ela estava tão feliz. Ela *não pode* estar morta. — Deanna começou a chorar. O namorado a abraçou e várias outras meninas começaram a chorar também. Os meninos na multidão pareciam inquietos, uma expressão rígida em cada rosto.

Bonnie sentiu uma pequena onda de esperança.

— E ela não será a única a morrer — acrescentou. — Elena nos disse que toda a cidade corre perigo. Elena disse... — Contra sua própria vontade, Bonnie ouviu sua voz falhar. Podia ver, pelo modo como a olharam quando falou no nome de Elena. Meredith tinha razão; eles deixaram para trás tudo o que aconteceu no inverno anterior. Não acreditavam mais.

— Qual é o *problema* de vocês todos? — disse ela, desamparada, querendo bater em alguma coisa. — Não podem realmente achar que Sue se atirou daquela sacada!

— As pessoas estão dizendo... — O namorado de Deanna começou e deu de ombros, na defensiva. — Bom... vocês contaram à polícia que Vickie Bennett estava no quarto, né? E agora ela está mal de novo. E só um pouquinho antes vocês ouviram Sue gritar, "Não, Vickie, não!", não foi?

Parecia a Bonnie que o ar tinha sido arrancado dela.

— Acham que *Vickie*... ah, meu Deus, o que deu em vocês? Escutem aqui. Alguma coisa pegou minha mão naquela casa, e *não era* Vickie. E Vickie não atirou Sue da sacada.

— Ela nem tem força para tanto, para começar — disse Meredith. — Ela pesa no máximo uns 43 quilos.

— Vickie tinha histórico de doença mental...

Alguém do fundo da multidão murmurou sobre pacientes psiquiátricos terem poderes sobre-humanos.

— Elena nos disse que foi um homem! — Bonnie quase gritou, perdendo a batalha com o autocontrole. As expressões que se viraram para ela eram sérias e inflexíveis. Depois ela viu um rosto que fez seu peito relaxar. — Matt! Diga a eles que você acredita na gente.

Matt Honeycutt estava parado na margem com as mãos nos bolsos e a cabeça loura tombada. Agora levantou a cabeça, e o que Bonnie viu em seus olhos azuis lhe tirou o fôlego. Não eram duros nem severos como os dos outros, mas estavam cheios de um desespero que era igualmente ruim. Ele deu de ombros sem tirar as mãos dos bolsos.

— Por mais estranho que pareça, eu acredito em vocês — disse ele. — Mas que diferença faz? Vai dar no mesmo, de qualquer maneira.

Era algo inédito em sua vida, mas Bonnie ficou sem fala. Matt andava perturbado desde que Elena morreu, mas isto...

— Então ele acredita — dizia Meredith, tirando proveito do momento. — Agora, o que temos de fazer para convencer vocês todos?

— Incorporar o Elvis pra gente, talvez — disse uma voz que de imediato fez o sangue de Bonnie ferver. Tyler. Tyler Smallwood. Arreganhando os dentes brancos e fortes feito um macaco, vestindo seu caríssimo suéter Perry Ellis. — Não é tão bom quanto psicografar a mensagem de uma Rainha do Baile morta, mas dá pro gasto — acrescentou.

Matt sempre dizia que aquele sorriso pedia um murro no nariz. Mas Matt, o único cara no grupo grande o suficiente para enfrentar Tyler, fitava estupidamente o chão.

— Cala a boca, Tyler! Você não sabe o que aconteceu naquela casa — disse Bonnie.

— Bom, ao que parece, nem vocês. Se não estivessem escondidas na sala, teriam visto o que aconteceu. Então alguém poderia até acreditar em vocês.

A resposta de Bonnie morreu em sua língua. Ela encarou Tyler, chegou a abrir a boca, depois desistiu. Tyler esperou. Como Bonnie não respondeu, ele arreganhou os dentes de novo.

— Aposto toda a minha grana como foi Vickie — disse ele, piscando para Dick Carter, ex-namorado de Vickie. — Ela é uma garotinha forte, né, Dick? *Pode muito bem* ter feito isso. — Ele se virou e acrescentou deliberadamente por sobre o ombro. — Ou então aquele cara, o Salvatore, voltou à cidade.

— Seu nojento! — gritou Bonnie. Até Meredith gritou, inconformada. Afinal, à menção do nome de Stefan, é claro que se fez um pandemônio, exatamente como Tyler devia saber que aconteceria. Todo mundo se virava para a pessoa ao lado e comentava algo com alarme, pavor, excitação. Principalmente as meninas, que pareciam mais agitadas.

Mas isso deu um fim definitivo à reunião. Antes as pessoas já estavam se afastando disfarçadamente, agora se separaram em grupos de dois ou três, discutindo e partindo às pressas.

Bonnie os olhou com raiva.

— Imagine se tivessem acreditado em vocês. O que querem que eles façam? — disse Matt. Bonnie não havia percebido que ele estava atrás dela.

— Não sei. Qualquer coisa diferente de ficar parado esperando ser atacado. — Ela tentou olhar na cara dele. — Matt, você está bem?

— Não sei. Você está?

Bonnie pensou.

— Não. Quero dizer, de certo modo estou surpresa por estar tão bem, porque, quando Elena morreu, eu simplesmente não aguentei. Mesmo. Mas eu não era tão próxima de Sue, e além de tudo... Não sei! — Bonnie teve vontade de bater em alguma coisa de novo. — É simplesmente demais!

— Você está chateada.

— *É*, estou chateada. — De repente Bonnie compreendeu os sentimentos que a rondaram o dia todo. — Matar Sue não foi só errado, foi *cruel*. Verdadeiramente cruel. E quem fez isso não vai se safar. Isso seria... Se o mundo é assim, um lugar onde isso pode acontecer sem punição nenhuma... Se a verdade é essa... — Ela descobriu que não tinha como terminar.

— Então o quê? Não quer mais viver aqui? E se o mundo *for mesmo* assim?

Os olhos de Matt estavam tão perdidos, tão amargurados. Bonnie tremia. Mas disse com firmeza:

— Eu não vou *deixar* que fique assim. E nem você.

Ele simplesmente a olhou como se ela fosse uma criança insistindo que Papai Noel existia.

Meredith se manifestou.

— Se esperarmos que os outros nos levem a sério, é melhor que a gente se leve a sério. Elena *se comunicou* com a gente. Ela queria que fizéssemos alguma coisa. Agora, se vamos acreditar nisso, é melhor pensarmos no que significa.

A expressão de Matt se retorceu ao ouvir o nome de Elena. Coitado, ele ainda é apaixonado por ela, como sempre foi, pensou Bonnie. Será que existe alguma coisa que o faça esquecer?

— Vai nos ajudar, Matt? — disse Bonnie.

— Vou ajudar — disse Matt em voz baixa. — Mas ainda não sei o que vocês pretendem fazer.

— Vamos deter esse assassino psicopata antes que ele mate mais alguém — disse Bonnie. Era a primeira vez que percebia plenamente que era isso que pretendia fazer.

— Sozinhas? Porque vocês estão sozinhas, sabem disso.

— *Nós três* estamos sozinhos — Meredith o corrigiu. — Mas era o que Elena tentava nos dizer. Ela disse que tínhamos de fazer um feitiço de invocação para pedir ajuda.

— Um feitiço fácil, só dois ingredientes — Bonnie se lembrou do sonho. Estava ficando animada. — E ela disse que já havia dito quais eram os ingredientes... só que não falou.

— Ontem à noite ela disse que havia influências perversas distorcendo a comunicação — disse Meredith. — Para mim, parece o que aconteceu no seu sonho. Acha que era realmente Elena que estava tomando chá com você?

— Acho — disse Bonnie, com segurança. — Quero dizer, sei que não estávamos realmente num chá qualquer em Warm Springs, mas acho que Elena mandava essa mensagem para meu cérebro. E aí, no meio do sonho, alguma coisa a possuiu e empurrou Elena para fora. Mas ela lutou, e por um minuto recuperou o controle no final.

— Tá bom. Então isso quer dizer que temos de nos concentrar no começo do sonho, quando ainda era Elena se comunicando com você. Mas se o que ela dizia já estava sendo distorcido por outras influências, talvez tenha saído estranho. Talvez não tenha sido uma coisa que ela disse, talvez seja alguma coisa que ela fez...

A mão de Bonnie voou até os cachos.

— Cabelo! — exclamou ela.

— O quê?

— Cabelo! Eu perguntei quem fazia o cabelo dela e conversamos sobre isso, e ela disse, "O cabelo é muito importante", e Meredith... Quando ela tentava nos falar dos ingredientes ontem à noite, a primeira letra de um deles era C!

— É isso mesmo! — Os olhos escuros de Meredith faiscavam. — Agora só temos de pensar no outro.

— Mas eu sei esse também! — O riso de Bonnie borbulhava, exuberante. — Ela me disse logo depois de falarmos de cabelo e achei que ela só estava estranha. Disse: "O sangue também é importante."

Meredith fechou os olhos, apreendendo tudo aquilo.

— E ontem à noite a tábua Ouija disse "sanguesanguesangue". Pensei que era a outra coisa nos ameaçando, mas não era — disse Meredith, e abriu os olhos. — Bonnie, acha que é isso mesmo? São esses os ingredientes, ou temos de começar a nos preocupar com lama, sanduíches de rato e chá?

— Os ingredientes são esses — disse Bonnie com firmeza. — São do tipo que faz sentido para um feitiço de invocação. Sei que posso achar um ritual que tenha a ver com eles nos meus livros de magia celta. Só temos que pensar na pessoa que vamos invocar... — Alguma coisa ocorreu-lhe, e a voz de Bonnie dissipou-se frente ao horror.

— Eu estava mesmo me perguntando quando é que você se tocaria — disse Matt, falando pela primeira vez por um bom tempo. — Vocês não sabem quem é, estou certo?

4

Meredith olhou com ar de ironia para Matt.

— Huum — ela murmurou. — Ora essa, quem você *acha* que Elena chamaria se estivesse com problemas?

O sorriso de Bonnie deu lugar a uma pontada de culpa pela expressão de Matt. Não era justo brincar com ele sobre isso.

— Elena disse que o assassino é forte demais para a gente e que é por isso que precisamos de ajuda — disse ela a Matt. — E só consigo pensar numa pessoa que Elena sabe que combateria esse assassino do além.

Lentamente, Matt assentiu. Bonnie não sabia o que ele sentia. Antigamente ele e Stefan eram amigos, mesmo depois de Elena preferir Stefan a Matt. Mas isso foi antes de Matt descobrir o que Stefan era e a violência que era capaz de cometer. Em sua fúria e tristeza pela morte de Elena, Stefan quase matou

Tyler Smallwood e outros cinco caras. Poderia Matt esquecer isso? Poderia ele lidar com a volta de Stefan a Fell's Church?

Emoldurado pelo queixo quadrado, o rosto de Matt não revelava nada e Meredith falava novamente.

— Então só o que precisamos fazer é sangrar um pouco e cortar um pouco do cabelo. Não quer perder um ou dois cachos, Bonnie?

Bonnie estava tão distraída que quase deixou passar essa. Depois balançou a cabeça.

— Não, não, não. Não é do *nosso* sangue e do *nosso* cabelo que precisamos. Deve ser da pessoa que queremos invocar.

— Como é? Mas isso é ridículo. Se tivéssemos o sangue e o cabelo de *Stefan*, não íamos *precisar* invocá-lo, não é mesmo?

— Não tinha pensado nisso — admitiu Bonnie. — Em geral, em um feitiço de invocação, a gente consegue as coisas de antemão e usa quando quer chamar a pessoa de volta. O que vamos fazer, Meredith? Isso é impossível.

As sobrancelhas de Meredith se uniram.

— Se fosse impossível, por que Elena pediria?

— Elena já pediu um monte de coisas impossíveis — disse Bonnie, sombria. — Não me olhe assim, Matt. Você sabe que eu tenho razão. Ela nunca foi santa.

— Talvez, mas esta não é impossível — disse Matt. — Sei de um lugar que teria o sangue do Stefan e, se tivermos sorte, um pouco do cabelo também. A cripta.

Bonnie se encolheu, mas Meredith simplesmente assentiu.

— Claro — disse ela. — Enquanto Stefan estava amarrado na cripta, deve ter deixado um rastro de sangue pelo lugar todo. E nesse tipo de luta ele pode ter perdido algum cabelo. Se tudo estiver lá, se ninguém mexeu...

— Não acho que alguém tenha descido até a cripta desde que Elena morreu — disse Matt. — A polícia investigou e depois deixou isso de lado. Mas só há uma maneira de descobrir.

Eu estava errada, pensou Bonnie. Estava preocupada se Matt poderia lidar com a volta de Stefan, e aqui está ele fazendo tudo o que pode para nos ajudar a invocá-lo.

— Matt, eu podia te dar um beijo! — disse ela.

Por um instante, uma coisa que ela não conseguiu identificar faiscou nos olhos de Matt. Surpresa, sem dúvida, mas havia mais do que isso. De repente, Bonnie se perguntou o que ele faria se ela o tivesse beijado *mesmo*.

— Todas dizem isso — respondeu ele calmamente, com um dar de ombros de falsa resignação. Era o mais próximo que ele chegaria de uma brincadeira o dia todo.

Meredith, porém, estava séria.

— Vamos. Temos muito a fazer e acredito que a última coisa que queremos é ficar presos numa cripta depois do anoitecer.

A cripta ficava embaixo da igreja em ruínas, que se destacava numa colina do cemitério. Era ainda final de tarde, havia muita luz, Bonnie ficava dizendo a si mesma enquanto eles subiam a colina. Mesmo assim ela teve arrepios. Já era bem ruim o cemitério moderno de um lado, mas o antigo cemitério, do outro lado, era completamente apavorante mesmo à luz do dia. Havia muitas lápides esfareladas tombando bizarramente na relva, representando os tantos jovens mortos na Guerra Civil. Não era preciso ser paranormal para sentir a presença deles.

— Espíritos inquietos — murmurou ela.

— Hein? — disse Meredith ao pisar numa pilha de entulho, que era uma parede da igreja em ruínas. — Olha, a tampa da tumba ainda está levantada. Isso é bom; não acredito que a gente conseguisse abrir.

Os olhos de Bonnie se demoraram com tristeza nas estátuas de mármore branco entalhadas na tampa deslocada. Honoria Fell estava deitada ali com o marido, as mãos cruzadas no peito, parecendo gentil e triste, como sempre. Mas Bonnie sabia que não haveria mais ajuda da parte dela. Acabaram-se os deveres de Honoria como protetora da cidade que fundou.

Deixou a peteca para Elena, pensou Bonnie de cara amarrada, olhando o buraco retangular que levava à cripta. A escada de ferro desaparecia na escuridão.

Mesmo com a ajuda da lanterna de Meredith, foi difícil descer ao subsolo. Lá, estava escuro e silencioso entre as paredes revestidas de pedra polida. Bonnie se esforçou para não tremer.

— Olha — disse Meredith, baixinho.

Matt tinha a lanterna apontada para o portão de ferro que separava a antessala da cripta de sua câmara principal. A pedra abaixo estava preta de sangue em vários lugares. Bonnie ficou tonta ao olhar as poças e regatos de sangue coagulado e seco.

— A gente sabe que Damon foi o que mais se feriu — disse Meredith, avançando. Ela parecia calma, mas Bonnie podia perceber o quanto controlava sua voz. — Então ele deve ter estado deste lado, onde tem mais sangue. Stefan disse que Elena estava no meio. Isso quer dizer que o próprio Stefan devia estar... aqui. — Ela se curvou.

— Eu faço isso — disse Matt, num rosnado. — Você segura a lanterna. — Com uma faca plástica que estava no carro de Meredith, ele raspou a crosta na pedra. Bonnie engoliu em seco, feliz por só ter tomado chá no almoço. Em teoria, ela não tinha problemas com o sangue, mas quando se fica cara a cara de uma quantidade tão grande — em especial quando se tratava do sangue de um amigo que foi torturado...

Bonnie se virou, olhando as paredes de pedra e pensando em Katherine. Stefan e o irmão mais velho, Damon, eram apaixonados por Katherine na Florença do século XV. Mas o que eles não sabiam era que a garota que amavam não era humana. Um vampiro em sua aldeia na Alemanha a transformara para salvar-lhe a vida quando ela estava doente. Katherine, por sua vez, transformou os dois em vampiros.

Depois, pensou Bonnie, ela fingiu a própria morte para que Stefan e Damon parassem de brigar por ela. Mas não deu certo. Eles se odiaram mais do que nunca, e ela odiou os dois por *isso*. Ela voltou ao vampiro que a transformou e com o passar dos anos ficou tão cruel quanto ele. Até que, por fim, só o que queria era destruir os irmãos que um dia amou. Ela os atraiu a Fell's Church para matá-los, e foi nesta cripta que ela quase conseguiu. E Elena morreu para impedi-la.

— Pronto — disse Matt, e Bonnie piscou, voltando a si. Matt segurava um guardanapo de papel que agora tinha lascas de pedra com o sangue de Stefan incrustado. — Agora, o cabelo — disse ele.

Eles varreram o chão com os dedos, encontrando poeira, pedaços de folhas, fragmentos de coisas que Bonnie não queria identificar. Em meio aos detritos, havia fios de cabelo louro-dourado. De Elena — ou de Katherine, pensou Bonnie. Eram muito parecidos. Também havia fios de cabelo mais curto e escuro, encaracolados, com um leve ondulado. De Stefan.

Foi um trabalho lento e meticuloso separar tudo e colocar os fios certos em outro guardanapo. Matt fez a maior parte. Quando terminaram, todos estavam cansados e a luz que entrava pela abertura retangular no alto era azul-escura. Mas Meredith sorriu com malícia.

— Conseguimos — disse ela. — Tyler quer Stefan de volta; bom, vamos *dar* isso a ele.

E Bonnie, que prestava pouca atenção ao que fazia, ainda perdida em pensamentos, ficou paralisada.

Estava pensando em coisas completamente diferentes que não tinham nada a ver com Tyler, mas ao ouvir o nome dele algo piscou em sua mente. Algo que ela percebeu no estacionamento e depois se esqueceu, no calor da discussão. As palavras de Meredith incitaram a lembrança e agora de repente tudo ficava claro. Como ele *sabia*?, perguntou-se ela, o coração disparado.

— Bonnie? Qual é o problema?

— Meredith — disse ela brandamente —, você disse especificamente à polícia que estávamos na sala quando tudo aconteceu no segundo andar com Sue?

— Não, acho que só disse que estávamos no térreo. Por quê?

— Por que eu também não contei. E Vickie não pode ter contado a eles, porque ela estava catatônica de novo, Sue estava morta e Caroline do lado de fora. *Mas Tyler sabia.* Lembra, ele disse: "Se vocês não estivessem escondidas na sala de estar, teriam visto o que aconteceu." Como ele sabia?

— Bonnie, se está sugerindo que Tyler era o assassino, não cola. Para começar, ele não tem inteligência para organizar um ataque homicida desse porte — disse Meredith.

— Mas tem outra coisa. Meredith, no ano passado, no Baile de Reencontro, Tyler me tocou no ombro. Nunca vou me esquecer disso. A mão dele era grande, carnuda, quente e úmida. — Bonnie tremeu ao se lembrar. — Igualzinha à mão que me tocou ontem à noite.

Mas Meredith balançava a cabeça e nem Matt parecia se convencer.

— Então Elena estava perdendo tempo ao nos pedir para trazer Stefan de volta — disse ele. — Eu podia cuidar de Tyler com alguns ganchos de direita.

— Pense bem, Bonnie — acrescentou Meredith. — Tyler tem o poder paranormal de mover uma tábua Ouija ou entrar em seus sonhos? Ele *tem*?

Não, ele não tinha. Do ponto de vista paranormal, Tyler era um fracasso tão grande quanto Caroline. Bonnie não podia negar isso. Mas também não podia negar sua intuição. Não fazia sentido, mas ainda achava que Tyler estivera na casa na noite anterior.

— É melhor a gente ir andando — disse Meredith. — Está escuro e seu pai vai ficar uma fera.

Todos ficaram em silêncio a caminho de casa. Bonnie ainda pensava em Tyler. Ao chegarem, levaram os guardanapos escondidos para cima e começaram a folhear os livros de druidas e magia celta de Bonnie. Desde que descobriu que descendia da antiga raça de magos, Bonnie se interessou pelos druidas. E em um dos livros encontrou um ritual para um feitiço de invocação.

— Precisamos comprar velas — disse ela. — E água pura... melhor que seja mineral — ela disse a Meredith. — Giz para desenhar um círculo no chão, e algo para fazer uma pequena fogueira. Posso achar essas coisas na casa. Não precisamos correr; o feitiço deve ser feito à meia-noite.

Ainda faltava muito para a meia-noite. Meredith comprou os artigos necessários no mercadinho e os levou. Jantaram com a família de Bonnie, embora nenhum deles estivesse com muito apetite. Às onze da noite, Bonnie já desenhara o círculo no piso de madeira de seu quarto e todos os outros ingredientes estavam num banquinho ao lado do círculo. Precisamente à meia-noite, ela começou.

Matt e Meredith viram Bonnie acender um fogo pequeno numa tigela de cerâmica. Três velas ardiam atrás da tigela; ela enfiou um alfinete até a metade em uma, bem no meio. Depois abriu um guardanapo e com cuidado agitou as amostras de sangue seco em uma taça com água. Esta adquiriu um tom de cor-de-rosa sujo.

Bonnie abriu o outro guardanapo. Três fios de cabelo escuro foram para o fogo, chamuscando com um cheiro horrível. Depois, foram três gotas da água manchada, que sibilaram.

Os olhos de Bonnie foram para as palavras no livro aberto.

Vindes ligeiro à colina,
Três vezes meu feitiço vos invoca,
Três vezes meu fogo vos perturba.
Vinde a mim sem demora.

Ela leu as palavras em voz alta, lentamente, três vezes. Depois se sentou sobre os calcanhares. O fogo continuava ardendo, fumarento.

A chama das velas dançou.

— E agora? — disse Matt.

— Não sei. Aqui só diz para esperar que a vela do meio queime até o alfinete.

— E depois?

— Acho que vamos descobrir quando acontecer.

Em Florença, amanhecia.

Stefan olhava a garota descer a escada, a mão pousada de leve no corrimão para manter o equilíbrio. Os movimentos eram lentos e um tanto oníricos, como se ela flutuasse.

De repente, ela oscilou e se agarrou com mais força ao corrimão. Stefan foi rapidamente para trás da menina e pôs a mão sob seu cotovelo.

— Você está bem?

Ela o olhou com o mesmo ar sonhador. Era muito bonita. As roupas caras eram da última moda e seu cabelo era louro, de um desgrenhado moderno. Uma turista. Ele sabia que era americana antes mesmo de ela falar.

— Sim... acho que sim... — Seus olhos castanhos não tinham foco.

— Tem como ir para casa? Onde está hospedada?

— Na Via dei Conti, perto da Capela Medici. Estou com os Gonzaga, no programa de Florença.

Droga! Então não era turista; era estudante. E isso significava que levaria esta história com ela, contando às colegas de turma sobre o italiano lindo que conheceu na noite passada. Aquele com olhos escuros como a noite. Que a levou a sua casa exclusiva na Via Tornabuoni e bebeu vinho com ela, jantou com ela e depois, à luz da lua, talvez, no quarto dele ou no pátio cercado, aproximou-se para olhar nos olhos dela e...

O olhar de Stefan se desviou do pescoço da menina, que tinha duas feridas avermelhadas de perfuração. Ele via marcas assim com demasiada frequência — como ainda tinham o poder de perturbá-lo? Mas tinham; deixavam-no nauseado e provocavam um ardor lento em suas entranhas.

— Qual é o seu nome?

— Rachael. Com *a*. — Ela soletrou.

— Muito bem, Rachael. Olhe para mim. Vai voltar a sua *pensione* e não vai se lembrar de nada da noite passada. Não sabe onde esteve nem quem viu. E você também nunca viu *a mim*. Repita.

— Eu não me lembro de nada da noite passada — disse ela, obediente, os olhos fixos nos dele. Os Poderes de Stefan não eram tão fortes como seriam se ele bebesse sangue humano, mas bastavam para isso. — Não sei onde estive nem quem eu vi. Eu não vi você.

— Muito bom. Tem dinheiro para voltar? Tome. — Stefan pegou no bolso um punhado de notas amassadas e a levou para fora.

Quando ela estava segura num táxi, ele voltou para dentro e seguiu direito para o quarto de Damon.

Damon estava recostado perto da janela, descascando uma laranja, e ainda nem estava vestido. Levantou a cabeça, irritado, quando Stefan entrou.

— Costuma-se bater — disse ele.

— Onde a conheceu? — perguntou Stefan. Depois, quando Damon voltou um olhar inexpressivo para ele: — Aquela garota. Rachael.

— Era esse o nome dela? Acho que não me dei ao trabalho de perguntar. No Bar Gilli. Ou talvez no Bar Mario. Por quê?

Stefan se esforçou para reprimir a raiva.

— Não foi a única coisa que não se deu ao trabalho de fazer. Também não se deu ao trabalho de influenciá-la a esquecer você. *Quer* ser apanhado, Damon?

Os lábios de Damon se curvaram num sorriso e ele girou uma casca de laranja torcida.

— Eu *nunca* sou apanhado, irmãozinho — disse ele.

— E o que vai fazer quando procurarem por você? Quando alguém perceber, "Meu Deus, tem um monstro chupador de sangue na Via Tornabuoni"? Matar todo mundo? Esperar até que arrebentem a porta da frente e então se misturar no escuro?

Damon o olhou nos olhos, de um jeito desafiador, aquele leve sorriso ainda em seus lábios.

— E por que não? — disse ele.

— Mas que *droga*! — disse Stefan. — Escute aqui, Damon. Isso tem que parar.

— É comovente a sua preocupação com a minha segurança.

— Não é justo, Damon. Pegar uma menina relutante como aquela...

— Ah, ela não relutou, meu irmão. Ela estava muito, mas muito disposta.

— E você disse a ela o que ia fazer? Avisou sobre as consequências de trocar sangue com um vampiro? Os pesadelos, as alucinações? Ela estava disposta a passar por *isso*? — Damon claramente não ia responder, então ele continuou. — Você sabe que está errado.

— Na realidade, sim. Eu sei. — Damon deu um de seus súbitos sorrisos enervantes, abrindo e fechando a boca instantaneamente.

— E não se importa — disse Stefan, desanimado, virando o rosto.

Damon jogou a laranja fora. O tom de sua voz era suave e convincente:

— Meu irmão mais novo, o mundo está cheio do que você chama de "erro" — disse ele. — Por que não relaxa e se une aos vencedores? É muito mais divertido, posso lhe garantir.

Stefan sentiu-se arder de raiva.

— Como pode sequer dizer isso? — ele rebateu. — Não aprendeu nada com Katherine? *Ela* escolheu o lado dos "vencedores".

— Katherine morreu rápido demais — disse Damon. Ele sorria novamente, mas seu olhar era gélido.

— E ainda agora você só consegue pensar em vingança. — Olhando o irmão, Stefan sentiu um peso esmagador se assentar no peito. — Nisso e em seu próprio prazer — disse ele.

— E existe mais alguma coisa? Apenas o prazer é real, meu irmãozinho... O prazer e o poder. E você é um caçador por natureza, tanto quanto eu — disse Damon. E acrescentou: — Aliás, não me lembro de ter convidado você a vir para Florença comigo. Se não está se divertindo, por que não vai embora?

O peso no peito de Stefan de repente ficou ainda maior, insuportável. Mas seu olhar, fixo no de Damon, não hesitou.

— Você sabe por quê — disse ele em voz baixa. E por fim teve a satisfação de ver os olhos de Damon baixarem.

O próprio Stefan podia ouvir as palavras de Elena em sua mente. Naquele momento ela estava morrendo e sua voz era fraca, mas ele a ouvia com clareza. *Vocês precisam cuidar um do outro. Stefan, você promete? Promete que vão cuidar um do outro?* E ele prometeu, e cumpriria com sua palavra. Independentemente de qualquer coisa.

— Sabe por que não vou embora — disse ele novamente a Damon, que não olhava mais para ele. — Pode fingir que não se importa. Pode enganar o mundo todo. Mas *eu* sei que não é assim. — A essa altura, teria sido mais gentil deixar Damon em paz, mas Stefan não estava com humor para gentilezas. — Sabe a garota que você pegou, a Rachael? — acrescentou ele. — O cabelo era igual, mas a cor dos olhos era outra. Os olhos de Elena eram azuis.

Com isso ele se virou, pretendendo deixar Damon ali, para que ele pudesse pensar no assunto — se Damon fosse realmente capaz de fazer algo tão introspectivo, é claro. Mas ele nunca sequer chegou à porta.

— Pronto! — disse Meredith rispidamente, os olhos na chama da vela e no alfinete.

Bonnie respirou fundo. Abria-se diante dela algo parecido com um fio de prata, um túnel prateado de comunicação. Ela corria por ele, sem ter como parar nem verificar a velocidade. Ah, meu Deus, pensou ela, quando eu chegar no fim e bater...

O clarão na cabeça de Stefan não teve som ou luz, mas era poderoso como um trovão. Ao mesmo tempo, ele sentiu um puxão violento e arrebatador. Um impulso de seguir... alguma coisa. Este não era um chamado subliminar e dissimulado de Katherine para ir a um lugar; era um grito sobrenatural. Uma ordem que não podia ser contrariada.

Dentro do clarão ele sentiu uma presença, mas não acreditava em quem era.

Bonnie?
Stefan! É você! Funcionou!
Bonnie, o que você fez?
Elena me disse para fazer. É sério, Stefan, ela disse mesmo. Estamos com problemas e precisamos...

E acabou. A comunicação entrou em colapso, desmoronando em si mesma e extinguindo-se por fim. Foi-se, e em sua esteira o quarto vibrava de Poder.

Stefan e o irmão ficaram ali, olhando um para o outro.

Bonnie soltou a respiração que não percebera que prendia e abriu os olhos, mas não se lembrava de tê-los fechado. Estava deitada de costas. Matt e Meredith estavam agachados por cima dela, assustados.

— O que houve? Deu certo? — perguntou Meredith.

— Deu. — Ela deixou que a ajudassem a se levantar. — Fiz contato com Stefan. Falei com ele. Agora só o que podemos fazer é esperar e ver se ele virá ou não.

— Você falou em Elena? — perguntou Matt.

— Falei.

— Então ele virá.

5

Segunda-feira, 8 de junho, 23h15

Querido Diário,
    Parece que não estou com sono esta noite, então posso muito bem escrever. Esperei o dia todo que alguma coisa acontecesse. Não se faz um feitiço como aquele, que funcionou daquele jeito, sem que nada aconteça depois.

    Mas não aconteceu nada. Não fui à escola porque minha mãe achou melhor eu ficar em casa. Ela estava aborrecida por Matt e Meredith terem ficado até tão tarde no domingo à noite e disse que eu precisava descansar. Mas sempre que me deito, vejo o rosto de Sue.

    O pai de Sue fez o discurso fúnebre para Elena. E quem vai fazer isso para Sue na quarta-feira?

Preciso parar de pensar nisso.
Talvez eu tente dormir de novo. Talvez, se me deitar com os fones no ouvido, eu não veja a Sue.

Bonnie colocou o diário na gaveta da mesa de cabeceira e pegou o walkman. Trocou as estações enquanto encarava o teto com um olhar pesado. Através dos estalos da estática, uma voz de DJ soou em seu ouvido.

"E aqui está uma pérola para todos os fãs dos incríveis anos 1950. 'Goodnight Sweetheart', dos Spaniels, pelo selo Vee Jay..."

Bonnie se deixou levar pela música.

O ice cream soda era de morango, o preferido de Bonnie. A jukebox tocava "Goodnight Sweetheart" e o balcão brilhava de tão limpo. Mas Elena, concluiu Bonnie, nunca usaria uma saia poodle.

"Poodles, não", disse ela, gesticulando para a saia. Elena desviou os olhos do sorvete com calda. O cabelo louro estava num rabo de cavalo. "Mas quem pensa nessas coisas?", perguntou Bonnie.

"Você, sua boba. Eu só estou de visita."

"Ah." Bonnie pegou uma colherada de sorvete. Os sonhos. Havia um motivo para ter medo dos sonhos, mas agora ela não conseguia se lembrar qual era.

"Não posso ficar muito tempo", disse Elena. "Acho que ele já sabe que estou aqui. Só vim para dizer..." Ela franziu o cenho.

Bonnie olhou para ela, solidária.

"Não consegue se lembrar também?" Ela tomou mais sorvete. Tinha um gosto estranho.

"Eu morri nova demais, Bonnie. Havia tanta coisa que eu devia fazer, tanto a realizar. E agora preciso ajudar você."

"Obrigada", disse Bonnie.

"Isso não é fácil. Não tenho tanto poder assim. É difícil atravessar e é difícil controlar tudo."

"Controlar tudo", assentiu Bonnie. Estava estranhamente tonta. O que havia naquele sorvete?

"Não tenho muito controle e as coisas ficam meio estranhas. Acho que é ele que está fazendo isso. Ele sempre está lutando comigo. Ele observa você. E sempre que tentamos nos comunicar, ele aparece."

"Tá legal." A sala flutuava.

"Bonnie, está me ouvindo? Ele pode usar seu medo contra você. É assim que ele age."

"Tá legal..."

"Mas *não o deixe entrar*. Diga isso a todos. E diga a Stefan..." Elena parou e pôs a mão na boca. Algo caiu no sorvete com calda.

Era um dente.

"Ele está aqui." A voz de Elena agora era estranha e indistinta. Bonnie olhou o dente com pavor, hipnotizada. Estava no meio do creme batido, com as amêndoas fatiadas. "Bonnie, diga a Stefan..."

Outro dente caiu, e mais um. Elena gemeu, agora com as duas mãos na boca. Seus olhos estavam apavorados e indefesos.

"Bonnie, não vá..."

Mas Bonnie recuava. Tudo ali girava. O sorvete borbulhava na taça, e não era mais sorvete; era sangue. Vermelho-vivo e espumante, do tipo que antecede a morte. O estômago de Bonnie revirou.

"Diga a Stefan que eu o amo!" Era a voz de uma velha desdentada e terminou num choro lamentoso. Bonnie ficou feliz por entrar na escuridão e se esquecer de tudo.

Bonnie roía a ponta da caneta, os olhos no relógio, a mente no calendário. Tinha de sobreviver a mais oito dias e meio de aulas. E parecia que cada minuto seria um novo sofrimento.

Um colega deixou isso muito claro, afastando-se dela na escada.

— Sem ofensas, mas é que seus amigos acabam mortos. — Bonnie foi para o banheiro e chorou.

Tudo o que ela queria agora era sair da escola, ficar longe de todos os rostos tristes e olhares acusadores — ou pior, daqueles que sentiam *pena*. O diretor fez um discurso no auditório sobre "esta nova tragédia" e "esta perda terrível", e Bonnie sentiu cada olhar fulminante em sua nuca.

Quando a sineta tocou, ela foi a primeira a sair pela porta. Mas, em vez de ir para a aula seguinte, foi de novo ao banheiro, onde esperou pela sineta seguinte. Depois, quando os corredores estavam vazios, Bonnie correu para a ala de línguas estrangeiras. Passou por boletins e cartazes de eventos de fim de ano sem olhar para eles. O que importavam as notas, o que importava a formatura, o que importava qualquer coisa? Todos poderiam estar mortos no fim do mês.

Ela quase esbarrou na pessoa parada no corredor. Sua cabeça se levantou de repente, vendo docksides surrados da moda, talvez importados. Acima deles um par de jeans, envolvendo o corpo, velho o bastante para parecer confortável sobre músculos rijos. Quadris estreitos. Peitoral definido. Um rosto de encantar qualquer escultor; boca sensual, maçãs do rosto proeminentes. Óculos escuros. Cabelo preto ligeiramente bagunçado. Bonnie ficou boquiaberta por um instante.

Ah, meu Deus, eu esqueci como ele é lindo, pensou ela. Elena, me perdoe; eu vou agarrar esse cara.

— Stefan! — disse ela.

Depois sua mente voltou à realidade e ela olhou em volta, com medo. Ninguém à vista. Bonnie pegou o braço dele.

— O que deu em você para aparecer aqui?

— Eu tinha de encontrá-la. Pensei que fosse urgente.

— É, mas... — Era tão incongruente, Stefan parado ali no corredor da escola. Tão exótico. Como uma zebra num rebanho de ovelhas. Ela começou a empurrá-lo em direção ao armário de vassouras.

Ele não cedeu. Era mais forte do que ela.

— Bonnie, você disse que falou com...

— Você precisa se esconder! Vou trazer Matt e Meredith aqui, e aí a gente pode conversar. Mas se alguém o vir perambulando pela escola, você pode ser linchado. Houve outro assassinato.

A expressão de Stefan mudou e ele deixou que Bonnie o empurrasse para o armário. Ele ia dizer alguma coisa, depois desistiu.

— Vou esperar — respondeu simplesmente.

Bonnie só precisou de alguns minutos para encontrar Matt na aula de mecânica e Meredith na de economia. Eles correram para o armário de vassouras e levaram Stefan para fora da escola o mais disfarçadamente possível, o que não deu muito certo.

Alguém deve ter nos visto, pensou Bonnie. Tudo depende de *quem* e do quanto gosta de fofocar.

— Temos que levá-lo a um lugar seguro... que não seja a casa de algum de nós — dizia Meredith. Todos atravessavam o mais rápido possível o estacionamento da escola.

— Tudo bem, mas *onde*? Peraí, e o pensionato...? — A voz de Bonnie falhou. Havia um carrinho preto na vaga diante dela. Um carro italiano, polido, sofisticado, curvilíneo. Todas as janelas eram ilegalmente escuras; não se podia ver nada em seu interior. Depois Bonnie distinguiu o logo do cavalo na traseira.

— Ah, meu *Deus*.

Stefan olhou a Ferrari, distraído.

— É de Damon.

Três pares de olhos se viraram chocados para ele.

— *De Damon?* — disse Bonnie, ouvindo a estridência da própria voz. Ela esperava que Stefan tivesse dito que Damon tinha emprestado a ele.

Mas o vidro do carro deslizou para baixo, revelando cabelos pretos tão brilhantes e uniformes quanto a pintura do carro, óculos espelhados e um sorriso muito branco.

— *Buon giorno* — disse Damon, suavemente. — Alguém quer uma carona?

— Ah, meu Deus — disse Bonnie de novo, sentindo-se fraca. Mas não recuou.

Stefan estava visivelmente impaciente.

— Vamos para o pensionato. Você nos segue. Estacione atrás do celeiro para que ninguém veja seu carro.

Meredith teve de arrastar Bonnie para longe da Ferrari. Não porque Bonnie ainda gostasse de Damon ou pudesse deixar que ele a beijasse de novo, como fez na festa de Alaric. Ela sabia que ele era perigoso — não tão mau quanto Katherine, talvez, mas ainda assim mau. Ele matava só por diversão. Damon matara o sr. Tanner, o professor de história, na festa da Casa Mal-Assombrada, no Halloween passado. Podia matar de novo a qualquer momento. E talvez por isso Bonnie se sentisse como um camundongo diante de uma cobra preta e brilhante quando olhava para ele.

Na privacidade do carro de Meredith, Bonnie e a amiga trocaram olhares.

— Stefan não devia tê-lo trazido — disse Meredith.

— Talvez ele só tenha vindo — propôs Bonnie. Ela não achava que Damon fosse o tipo de pessoa que fosse *levado* a algum lugar.

— Por quê? Certamente não vai nos ajudar em nada. — Matt nem pareceu perceber a tensão no carro. Não dizia nada. Só olhava pelo para-brisa, perdido em si mesmo.

O céu estava nublando.

— Matt?

— Deixe ele em paz, Bonnie — disse Meredith.

Que maravilha, pensou Bonnie, a depressão caindo como um manto escuro sobre ela. Matt, Stefan e Damon, todos juntos, todos pensando em Elena.

Eles estacionaram atrás do antigo celeiro, perto do carro preto e rebaixado. Quando entraram, Stefan estava sozinho ali. Virou-se e Bonnie viu que ele tinha tirado os óculos. Um leve arrepio a tomou, eriçando levemente os pelos dos braços e da nuca. Stefan não era parecido com nenhum outro cara que ela tenha conhecido. Os olhos eram tão verdes; verdes como folhas de carvalho na primavera. Mas só que agora tinham olheiras.

Por um momento, eles ficaram sem jeito — os três parados de um lado, olhando Stefan, sem dizer nada. Ninguém parecia saber o que dizer.

Depois Meredith se aproximou dele e pegou sua mão.

— Você parece cansado — disse ela.

— Eu vim assim que pude. — Ele a envolveu num abraço breve e quase hesitante. Stefan nunca fez isso nos velhos tempos, pensou Bonnie. Antigamente ele era mais reservado.

Ela se aproximou para dar seu abraço também. A pele de Stefan era fria sob a camiseta e ela teve de se controlar para não tremer. Quando Bonnie recuou, os olhos estavam marejados. O que ela sentia, agora que Stefan Salvatore estava de volta a Fell's Church? Alívio? Tristeza pelas lembranças que ele trazia? Medo? Só o que ela podia dizer era que tinha vontade de chorar.

Stefan e Matt se olhavam. Lá vamos nós, pensou Bonnie. Era quase engraçado; a mesma expressão estampada nos dois rostos. Mágoa e cansaço, ambos tentando não demonstrar. Independentemente do que acontecesse, Elena sempre estaria entre os dois.

Por fim, Matt estendeu a mão e Stefan a apertou. Os dois deram um passo para trás, parecendo satisfeitos por terem acabado com o momento desconfortável.

— Cadê o Damon? — questionou Meredith.

— Dando uma olhada por aí. Pensei que quisessem ter alguns minutos sem ele.

— Queremos algumas *décadas* sem ele — respondeu Bonnie antes que pudesse se reprimir.

— Não podemos confiar nele, Stefan — disse Meredith.

— Acho que está enganada — retorquiu Stefan em voz baixa. — Ele pode ser de grande ajuda, se resolver se dedicar.

— Enquanto não mata alguns moradores uma noite ou outra? — indagou Meredith, as sobrancelhas erguidas. — Não devia tê-lo trazido, Stefan.

— Mas ele não trouxe. — A voz veio de trás de Bonnie, de trás e assustadoramente próxima. Bonnie deu um salto e partiu instintivamente para cima de Matt, que a segurou pelo ombro.

Damon abriu um sorrisinho, erguendo só o canto da boca. Tirou os óculos de sol, mas os olhos não eram verdes. Eram pretos como os espaços entre as estrelas. Ele era quase mais bonito do que Stefan, pensou Bonnie desvairada, encontrando os dedos de Matt e se pendurando neles.

— Então agora ela é sua, não é? — perguntou Damon a Matt, despreocupadamente.

— Não — disse Matt, mas não soltou Bonnie.

— Stefan não trouxe você? — perguntou Meredith do outro lado. De todos, ela parecia a menos afetada por Damon. Não parecia ter medo, era menos suscetível a ele.

— Não — disse Damon, ainda olhando para Bonnie. Ele não se *virava* como os outros, pensou ela. Continuava olhando o que quisesse, independente de quem estivesse falando. — Você trouxe — disse ele.

— Eu? — Bonnie se encolheu um pouco, sem saber o que ele queria dizer.

— Você. Você fez o feitiço, não foi?

— O... — Ah, que *inferno*. Uma imagem surgiu na mente de Bonnie, de cabelos pretos em um guardanapo branco. Seus olhos foram para o cabelo de Damon, mais fino e mais liso do que os de Stefan, mas igualmente escuros. É óbvio que Matt cometeu um erro ao escolher os fios.

A voz de Stefan era impaciente.

— Você nos trouxe aqui, Bonnie. Nós viemos. O que há?

Todos se sentaram nos fardos de feno meio apodrecidos; todos exceto Damon, que continuou de pé. Stefan estava inclinado para a frente, as mãos nos joelhos, olhando para Bonnie.

— Você me disse... disse que Elena falou com você. — Houve uma pausa perceptível antes de ele pronunciar o nome. O rosto dele estava tenso de tanto controle.

— Sim. — Ela conseguiu abrir um sorriso para Stefan. — Eu tive um sonho, Stefan, um sonho muito estranho...

Ela contou sobre o sonho, e contou sobre o que aconteceu depois. Levou um longo tempo. Stefan ouvia atentamente, os olhos verdes faiscando a cada vez que ela falava em Elena.

Quando Bonnie contou sobre como terminou a festa de Caroline e como encontraram o corpo de Sue no quintal, o rosto dele ficou ainda mais pálido, mas Stefan não disse nada.

— A polícia apareceu e disse que ela estava morta, mas nós já sabíamos — concluiu Bonnie. — E eles levaram Vickie... A coitada da Vickie estava delirando. Não nos deixaram falar com ela e a mãe dela desligou na nossa cara todas as vezes que ligamos. Algumas pessoas estão até dizendo que foi Vickie quem *fez* isso, o que é um absurdo. Mas não acreditariam que Elena falou com a gente, então não acreditariam em nada do que ela disse.

— E ela disse que foi "ele" — interrompeu Meredith. — Várias vezes. É um homem; alguém com muito poder sobrenatural.

— E foi um homem que pegou minha mão no corredor — disse Bonnie. Ela contou a Stefan sobre sua desconfiança de Tyler, mas, como Meredith observou, Tyler não combinava com o restante da descrição. Ele não tinha cérebro, nem poder paranormal para ser o motivo da preocupação de Elena.

— E Caroline? — perguntou Stefan. — Ela pode ter visto alguma coisa?

— Ela estava na frente — disse Meredith. — Achou a porta e saiu enquanto todo mundo corria. Ouviu os gritos, mas estava assustada demais para voltar para dentro de casa. E, para ser sincera, eu não a culpo.

— Então ninguém viu realmente o que aconteceu, exceto Vickie.

— Exatamente. E Vickie não está falando. — Bonnie continuou a história de onde tinha parado. — Depois que percebemos que ninguém ia acreditar na gente, lembramos da mensagem de Elena sobre o feitiço de invocação. Deduzimos que devia ser você que ela queria invocar, porque ela achou que você podia fazer alguma coisa para ajudar. E então... você pode?

— Posso tentar — disse Stefan. Ele se levantou e se distanciou um pouco, dando as costas para o grupo. Ficou um tempo imóvel e em silêncio. Por fim, se virou e fitou Bonnie nos olhos.

— Bonnie — disse ele, num tom baixo mas intenso —, em seus sonhos, você realmente falou com Elena cara a cara. Acha que se entrasse em transe poderia fazer isso de novo?

Bonnie teve certo medo do que viu nos olhos de Stefan. Fulgurava um verde-esmeralda em seu rosto pálido. De repente, era como se ela pudesse ver por trás da máscara de controle que ele usava. Por baixo havia tanta dor, tanto desejo — tanta intensidade que ela mal suportava olhar.

— Eu *podia*, talvez... mas Stefan...

— Então vamos fazer logo isso. Aqui mesmo, agora. E vamos ver se consegue me levar com você. — Aqueles olhos a hipnotizavam, não com um poder oculto, mas pela mera força da vontade de Stefan. Bonnie queria fazer isso por ele — ele a levava a ter esse desejo. Mas a lembrança do último sonho era intensa demais. Ela não poderia enfrentar aquele horror de novo; não *podia*.

— Stefan, isso é perigoso demais. Posso me abrir a qualquer coisa... E eu estou *com medo*. Se essa coisa se apoderar da minha mente, não sei o que pode acontecer. Eu *não posso*, Stefan. Por favor. Mesmo com uma tábua Ouija, eu o estaria convidando a aparecer.

Por um momento, ela pensou que ele ia tentar obrigá-la. Os lábios de Stefan se estreitaram numa linha obstinada e seus olhos brilharam ainda mais. Mas aos poucos o fogo morreu.

Bonnie sentiu o coração apertado.

— Stefan, desculpe — sussurrou ela.

— Vamos ter de fazer isso sozinhos — disse ele. A máscara estava de volta, mas seu sorriso parecia rígido, como se doesse. E então ele continuou com mais ânimo agora: — Primeiro temos de descobrir quem é o assassino e o que ele quer aqui. Só o que sabemos por enquanto é que algo maligno está de volta a Fell's Church.

— Mas *por quê*? — disse Bonnie. — Por que uma coisa maligna escolheu justamente esta cidade? Já não passamos por coisas demais?

— Parece uma coincidência estranha — replicou Meredith com algum humor. — Por que somos tão exclusivamente abençoados?

— Não é coincidência — disse Stefan. Ele se levantou e ergueu as mãos como se não tivesse certeza de como começar. — Existem alguns lugares na terra que são... diferentes — disse ele. — São cheios de energia sobrenatural, positiva ou negativa, boa ou má. Alguns sempre foram assim, como o Triângulo das Bermudas ou Salisbury Plain, o lugar onde construíram Stonehenge. Outros *ficam* assim, em especial onde foi derramado muito sangue. — Ele olhou para Bonnie.

— Espíritos inquietos — sussurrou ela.

— Sim. Houve uma batalha aqui, não houve?

— Na Guerra Civil — disse Matt. — Foi assim que a igreja do cemitério foi derrubada. Foi uma carnificina dos dois lados. Ninguém venceu, mas quase todo mundo que lutou foi morto. Os bosques estão cheios de túmulos.

— E a terra ficou ensopada de sangue. Um lugar como esse atrai poderes sobrenaturais. Atrai o mal. Por isso Katherine foi atraída a Fell's Church, antes de tudo. Eu também, quando vim aqui pela primeira vez.

— E agora outra coisa também foi atraída — disse Meredith, completamente séria pela primeira vez. — Mas como vamos combatê-lo?

— Primeiro temos de saber contra o que vamos lutar. Acho...
— Mas antes que ele conseguisse terminar, ouviu-se um guincho e um raio de sol pálido e poeirento caiu nos fardos de feno. A porta do celeiro se abriu.

Todos ficaram tensos, na defensiva, prontos para pular e correr ou lutar. Mas a figura que empurrou a porta para trás com o cotovelo não era nada ameaçadora.

A sra. Flowers, a dona do pensionato, sorriu para eles, os olhinhos pretos enfeitados por rugas. Trazia uma bandeja.

— Achei que vocês podiam tomar alguma coisa enquanto conversam, crianças — disse ela num tom simpático.

Todos trocaram olhares desconcertados. Como a sra. Flowers sabia que eles estavam ali? E como podia ficar tão calma com isso?

— Sirvam-se — disse a sra. Flowers. — É suco de uva, feito de minhas próprias uvas Concord. — Ela pôs um copo de papel ao lado de Meredith, depois de Matt, em seguida de Bonnie. — E uns biscoitos de gengibre. Recém-assados. — Ela passou o prato em volta. Bonnie percebeu que ela não ofereceu nada a Stefan e Damon.

— Vocês dois podem ir para o sótão, se quiserem, e experimentar meu vinho de amora silvestre — disse-lhes ela com o que Bonnie podia jurar que era uma piscadela.

Stefan respirou fundo, cansado.

— Bem, olha, sra. Flowers...

— E seu antigo quarto está exatamente como você deixou. Ninguém subiu lá desde que você foi embora. Pode usar quando quiser; não vai me atrapalhar em nada.

Stefan ficou sem palavras.

— Bem... obrigado. Muito obrigado. Mas...

— Se estiver preocupado que eu conte alguma coisa a alguém, pode ficar sossegado. Não sou de falar demais. Nunca fui e nunca serei. Como está o suco de uva? — perguntou, virando-se de repente para Bonnie.

Bonnie tomou um gole apressado.

— Bom — disse ela, com sinceridade.

— Quando terminarem, joguem os copos na lixeira. Gosto das coisas sempre arrumadas. — A sra. Flowers lançou um olhar para o celeiro, sacudindo a cabeça e suspirando. — Que pena. Uma menina tão bonita. — Ela se virou para Stefan, os olhos de ônix penetrantes. — Desta vez você tem muito o que fazer, rapaz — disse ela e saiu, ainda sacudindo a cabeça.

— Ora essa! — disse Bonnie, olhando para ela, admirada. Todos os outros se olharam com o mesmo pasmo.

— "Uma menina tão bonita"... mas qual? — disse Meredith, por fim. — Sue ou Elena? — Ela passou uma semana mais ou menos neste mesmo celeiro no inverno passado; mas a sra. Flowers não devia saber disso. — Você *contou* alguma coisa a ela sobre a gente? — Meredith perguntou a Damon.

— Nem uma palavra. — Damon parecia se divertir. — Ela é velha, não presta atenção nas coisas.

— Ela é mais esperta do que qualquer um de nós pensa — disse Matt. — Quando lembro dos dias que passamos vendo-a cuidar de seus potes no porão... Acha que ela *sabia* que estávamos vigiando?

— Não sei o que pensar — disse Stefan devagar. — Só fico feliz por ela parecer estar do nosso lado. E ter nos dado um lugar seguro para ficar.

— E suco de uva, não se esqueça disso. — Matt sorriu para Stefan. — Quer um pouco? — Ele ofereceu o copo vazio.

— Tá, pode pegar seu suco de uva e... — mas Stefan estava quase sorrindo. Por um instante Bonnie viu os dois como eram antigamente, antes de Elena morrer. Amistosos, cordiais, tão à vontade juntos como Meredith e ela própria. Bonnie foi tomada por uma agonia.

Mas Elena não está morta, pensou ela. Está mais presente do que nunca. Está orientando tudo o que dizemos e fazemos.

Stefan voltou a falar, sério agora.

— Quando a sra. Flowers entrou, eu estava prestes a dizer que deveríamos começar logo. E acho que temos que começar pela Vickie.

— Ela não vai nos receber — respondeu Meredith de pronto. — Os pais dela mantêm todo mundo a distância.

— Então vamos ter que nos desviar dos pais dela — disse Stefan. — Você vem conosco, Damon?

— Uma visita a outra menina bonita? Não perderia por nada.

Bonnie olhou alarmada para Stefan, mas ele falou num tom tranquilizador enquanto a guiava para fora do celeiro:

— Vai dar tudo certo. Ficarei de olho nele.

Bonnie esperava que ele conseguisse.

6

A casa de Vickie ficava numa esquina e eles se aproximavam pela transversal. Mas agora o céu se enchia de nuvens roxas e pesadas. A luz era fraca, como se estivessem debaixo d'água.

— Parece que vem um temporal — disse Matt.

Bonnie olhou para Damon. Nem ele nem Stefan gostavam da luz forte. E ela podia sentir o Poder emanando dele, como um tamborilar baixo sob a pele. Damon sorriu sem olhar para ela e disse:

— O que acha de neve no verão?

Bonnie se encolheu com um tremor.

Ela reparara em Damon uma ou duas vezes no celeiro e achou que ele ouvia a história com um ar de indiferença distante. Ao contrário de Stefan, a expressão de Damon não se alterara nem um pouco quando mencionou Elena — ou quando falou da morte de Sue. O que ele sentia realmente por Elena? Ele uma vez invocou uma nevasca e a deixou para congelar ali. O que ele sentia agora? Será que queria pegar o assassino?

— Este é o quarto de Vickie — disse Meredith. — A janela fica nos fundos.

Stefan olhou para Damon.

— Quantas pessoas na casa?

— Duas. Homem e mulher. A mulher está bêbada.

Coitada da sra. Bennett, pensou Bonnie.

— Preciso que os dois durmam — disse Stefan.

Contra a própria vontade, Bonnie ficou fascinada com a onda de Poder que sentiu emanar de Damon. A capacidade paranormal dela nunca fora forte o bastante para sentir essa essência bruta, mas agora sim. Agora ela podia sentir o poder com a mesma clareza com que podia ver a luz violeta escurecendo ou sentir o cheiro de madressilva na frente da janela de Vickie.

Damon deu de ombros.

— Estão dormindo.

Stefan bateu de leve no vidro.

Não houve resposta, ou pelo menos nenhuma que Bonnie pudesse ter percebido. Mas Stefan e Damon se olharam.

— Ela já está meio em transe — disse Damon.

— Ela tem medo. Eu farei isso; ela me conhece — disse Stefan. Ele pôs a ponta dos dedos na janela. — Vickie, é Stefan Salvatore — disse ele. — Estou aqui para ajudá-la. Deixe-me entrar.

Sua voz era tão baixa que não poderia ser ouvida do outro lado do vidro. Mas depois de um instante as cortinas se agitaram e apareceu um rosto.

Bonnie arfou alto.

O cabelo castanho-claro e comprido de Vickie estava despenteado e a pele parecia de giz. Tinha olheiras enormes. Seus olhos eram fixos e vidrados. Os lábios ásperos e rachados.

— Parece que ela está vestida para a cena de loucura de Ofélia — disse Meredith à meia-voz. — De camisola e tudo.

— Ela parece *possuída* — sussurrou Bonnie, nervosa.

— Vickie, abra a janela — disse Stefan simplesmente.

Mecanicamente, como uma boneca de corda, Vickie abriu um pouco um dos painéis laterais da janela e Stefan perguntou:

— Posso entrar?

Os olhos vidrados de Vickie percorreram o grupo do lado de fora. Por um momento, Bonnie achou que ela não reconhecia nenhum deles. Mas depois Vickie piscou e disse devagar:

— Meredith... Bonnie... Stefan? Você voltou. O que estão fazendo aqui?

— Convide-me a entrar, Vickie. — A voz de Stefan era hipnótica.

— Stefan... — Houve uma longa pausa, e depois: — Entre.

Ela recuou um passo enquanto ele colocava a mão no peitoril e saltava pela janela. Matt o seguiu, depois Meredith. Bonnie, que estava de minissaia, continuou do lado de fora com Damon. Deveria ter ido de jeans à escola hoje, mas não sabia que ia sair numa expedição.

— Não devia estar aqui — disse Vickie a Stefan, quase com calma. — Ele vem me pegar. E vai pegar você também.

Meredith a abraçou. Stefan disse simplesmente:

— Quem?

— Ele. Ele vem a mim em sonhos. Ele matou Sue. — O tom categórico de Vickie era mais assustador do que qualquer escândalo que pudesse fazer.

— Vickie, estamos aqui para ajudar — disse Meredith com gentileza. — Agora tudo vai ficar bem. Não vamos deixar que ele machuque você, eu prometo.

Vickie girou o corpo para fitar Meredith. Olhou-a de cima a baixo como se Meredith de repente tivesse se transformado numa coisa inacreditável. Depois começou a rir.

Foi uma gargalhada medonha e rouca, como uma tosse seca. Continuou até que Bonnie teve de cobrir as orelhas. Por fim, Stefan disse:

— Vickie, pare com isso.

O riso se transformou no que pareciam soluços e Vickie parecia menos vidrada e mais genuinamente perturbada quando voltou a levantar a cabeça.

— Todos vocês vão morrer, Stefan — disse ela, balançando a cabeça. — Ninguém pode lutar com ele e continuar vivo.

— Precisamos saber sobre ele para que *possamos* lutar com ele. Precisamos de sua ajuda — pediu Stefan. — Diga como ele é.

— Não consigo vê-lo em meus sonhos. Ele é só uma sombra sem rosto. — Vickie sussurrava, os ombros arriados.

— Mas você o viu na casa de Caroline — disse Stefan, insistente. — Vickie, escute — acrescentou ele enquanto a menina se virava bruscamente. — Sei que está assustada, mas isto é importante, mais importante do que pode compreender. Não podemos combatê-lo se não soubermos o que estamos enfrentando, e você é a única, a *única* pessoa que tem as informações de que precisamos. Tem que nos ajudar.

— Não consigo *me lembrar*...

A voz de Stefan era implacável.

— Sei como ajudá-la a se lembrar — disse ele. — Posso tentar?

Os segundos se arrastaram, depois Vickie soltou um suspiro longo e entrecortado, arriando o corpo.

— Faça o que quiser — disse ela com indiferença. — Não ligo. Não vai fazer diferença alguma.

— Você é uma garota corajosa. Agora olhe para mim, Vickie. Quero que relaxe. Só olhe para mim e relaxe. — A voz de Stefan caiu a um murmúrio tranquilizador. Continuou assim por alguns minutos, e os olhos de Vickie se fecharam.

— Sente-se — Stefan a guiou até a cama. Ele se sentou ao lado dela, observando seu rosto. — Vickie, agora você está calma e relaxada. Nada do que se lembrar vai prejudicá-la — disse ele, a voz suave. — Agora, preciso que volte à noite de sábado. Você está no segundo andar, no quarto principal da casa de Caroline. Sue Carson está com você, e mais alguém. Preciso que veja...

— Não! — Vickie se contorcia como se tentasse escapar de alguma coisa. — Não! Não posso...

— Vickie, acalme-se. Ele não vai feri-la. Ele não pode ver você, mas você pode vê-lo. Preste atenção na minha voz.

Enquanto Stefan falava, os gemidos de Vickie se aquietaram. Mas ela ainda se debatia.

— Você *precisa* vê-lo, Vickie. Ajude-nos a combatê-lo. Como ele se parece?

— Ele parece o demônio!

Foi quase um grito. Meredith se sentou do outro lado de Vickie e pegou sua mão. Olhou pela janela, para Bonnie, que a fitava com os olhos arregalados e tremia um pouco. Bonnie não fazia ideia do que Vickie estava falando.

— Conte-me mais — pediu Stefan com tranquilidade.

A boca de Vickie se retorceu. Suas narinas inflaram como se ela sentisse um cheiro horrível. Ao falar, pronunciou pausadamente cada palavra como se lhe desse náuseas.

— Ele veste... um sobretudo antigo. Bate nas pernas dele com o vento. Ele faz o vento soprar. O cabelo é louro. Quase branco. É eriçado em toda a cabeça. Os olhos são tão azuis... De um azul vívido. — Vickie lambeu os lábios e engoliu em seco, parecendo enjoada. — Azul é a cor da morte.

"Ele é alto. E ele ri. Estende a mão para mim, rindo. Mas Sue grita, 'Não, não' e tenta me puxar para longe. Então ele a pega. A janela se quebra e a sacada fica bem ali. Sue está gritando, 'Não, por favor'. E depois eu o vejo... Eu o vejo atirar Sue..."

A respiração de Vickie era entrecortada, a voz se elevava agudamente.

— Vickie, está tudo bem. Você não está lá. Está segura.

— Ah, por favor, não... Sue! *Sue! Sue!*

— Vickie, fique comigo. Escute. Preciso de mais uma coisa. Olhe para ele. Diga se ele tem uma joia azul...

Mas Vickie balançava a cabeça violentamente, chorando, mais descontrolada a cada segundo.

— Não! Não! Eu sou a próxima! Eu sou a próxima! — De repente, seus olhos se abriram e ela saiu sozinha do transe, sufocada e arfando. Depois sua cabeça girou.

Na parede, um quadro se agitava.

Foi seguido pelo espelho com moldura de bambu. Depois pelos frascos de perfume e batom na cômoda abaixo. Com um som de pipoca estourando, os brincos começaram a voar de cada suporte. A agitação era cada vez mais ruidosa. Um chapéu de palha caiu do gancho. Choviam fotos do espelho. Fitas e CDs voaram de uma prateleira e caíram no chão como cartas de baralho sendo distribuídas.

Meredith ficou de pé e Matt também, com os punhos cerrados.

— Faça isso parar! Faça parar! — gritava Vickie, desesperada.

Mas não parava. Matt e Meredith observavam o quarto enquanto novos objetos entravam na dança. Tudo que podia ser deslocado se sacudia, tremia, balançava. Era como se o quarto tivesse sido jogado num terremoto.

— Pare! Pare! — gritava Vickie, as mãos nos ouvidos.

Bem acima da casa, explodiu um trovão.

Bonnie saltou violentamente ao ver o zigue-zague do raio atravessar o céu. Por instinto, procurou algo em que se segurar. Enquanto o raio faiscava, um pôster na parede de Vickie se rasgou na diagonal, como se retalhado por uma faca fantasma. Bonnie reprimiu o grito e se agarrou com mais força.

Depois, com a rapidez de alguém apagando um interruptor, todo o barulho cessou.

O quarto de Vickie ficou em silêncio. A franja do abajur da mesa de cabeceira oscilava de leve. O pôster tinha se enrolado em dois pedaços irregulares, acima e abaixo. Devagar, Vickie tirou as mãos das orelhas.

Matt e Meredith olharam ao redor do quarto mais uma vez, trêmulos.

Bonnie fechou os olhos e murmurou algo que parecia uma oração. Só quando os abriu percebeu onde estivera se segurando. Era no couro frio e macio de uma jaqueta. E era o braço de Damon.

Mas ele não se afastou dela. Agora não se mexia. Estava meio inclinado para a frente, os olhos semicerrados, analisando atentamente o quarto.

— Vejam o espelho — disse ele.

Todos obedeceram e Bonnie prendeu a respiração, os dedos se fechando de novo. Não tinha visto, mas deve ter acontecido enquanto todo o quarto entrava num frenesi.

Na superfície do vidro do espelho emoldurado com bambu, quatro palavras estavam escritas com o batom coral de Vickie.

Boa-noite, meu amor.

— Ah, meu Deus — sussurrou Bonnie.

Stefan desviou o olhar do espelho para Vickie. Havia algo diferente nele, pensou Bonnie, ele se mantinha relaxado mas atento, como um soldado que acabara de receber a confirmação de uma batalha. Era como se tivesse aceitado um desafio pessoal.

Ele pegou alguma coisa no bolso de trás e desdobrou, revelando ramos de uma planta de folhas verdes e longas e florezinhas lilases.

— Isto é verbena, verbena fresca — disse ele em voz baixa, tranquila e intensa. — Colhi em Florença; está florescendo lá agora. — Ele pegou a mão de Vickie e colocou nela o maço. — Quero que segure isso e fique com elas. Coloque em cada cômodo da casa e esconda pedaços da planta nas roupas de seus pais, para que eles a tenham perto do corpo. Enquanto estiver com isto, ele não poderá se apoderar de sua mente. Ele pode assustar você, Vickie, mas não pode obrigá-la a nada, como abrir uma janela ou porta para ele. E ouça, Vickie, porque isto é importante.

Vickie tremia, a cara amarfanhada. Stefan pegou as mãos de Vickie e a fez olhar para ele, falando devagar e distintamente.

— Se eu não estiver enganado, Vickie, *ele só poderá entrar se você deixar*. Então fale com seus pais. Diga a eles que é importante que não convidem nenhum estranho a entrar na casa. Na realidade, posso pedir a Damon para colocar essa sugestão na mente deles agora mesmo. — Ele olhou para Damon, que deu de ombros e assentiu de leve, dando a impressão de que sua atenção estava em outro lugar. Constrangida, Bonnie tirou a mão de sua jaqueta.

A cabeça de Vickie estava arriada sobre a verbena.

— Ele vai arrumar um jeito de entrar — disse ela em voz baixa, com uma certeza apavorada.

— Não. Vickie, escute. A partir de agora, vamos vigiar a casa. Estaremos esperando por ele.

— Isso não *importa* — disse Vickie. — Vocês não podem impedi-lo. — Ela começou a rir e chorar ao mesmo tempo.

— Vamos tentar — disse Stefan. Ele olhou para Meredith e Matt, que assentiram. — Muito bem. A partir deste momento, não ficará mais sozinha. Sempre haverá um ou mais de nós lá fora, vigiando você.

Vickie se limitou a balançar a cabeça tombada. Meredith apertou seu braço e se levantou enquanto Stefan se voltava para a janela.

Quando ela e Matt se juntaram a ele, Stefan falou com todos aos sussurros.

— Não quero deixá-la desprotegida, mas eu mesmo não posso ficar agora. Há uma coisa que devo fazer e preciso de uma das meninas comigo. Por outro lado, não quero deixar Bonnie nem Meredith sozinhas aqui. — Ele se virou para Matt. — Matt, você poderia...

— Eu vou ficar — disse Damon.

Todos olharam para ele, sobressaltados.

— Bom, é a solução mais lógica, não é? — Damon parecia se divertir. — Afinal, o que espera que um *deles* faça contra ele?

— Eles podem chamar *a mim*. Posso monitorar seus pensamentos dessa distância — disse Stefan, sem ceder um milímetro.

— Bem — disse Damon de um jeito curioso. — Eu também posso chamar por você, irmãozinho, se tiver problemas. Estou ficando entediado com essa sua investigação mesmo. Posso ficar aqui, como em qualquer lugar.

— Vickie precisa ser protegida, e não maltratada — disse Stefan.

O sorriso de Damon era sedutor.

— *Ela*? — Ele assentiu para a menina que estava sentada na cama, tremendo com a verbena nas mãos. Do cabelo desgrenhado aos pés descalços, Vickie não era uma imagem nada bonita. — Pode acreditar em mim, meu irmão, eu posso fazer melhor do que isso. — Por um instante, Bonnie pensou que aqueles olhos escuros se viraram para ela. — Você está sempre dizendo que gostaria de confiar em mim — acrescentou Damon. — Aqui está sua oportunidade de provar.

Stefan transparecia uma vontade de confiar, como se estivesse tentado. Mas ao mesmo tempo parecia desconfiado. Damon não disse nada, apenas sorriu daquele jeito debochado e enigmático. Praticamente pedindo para que *não confiassem nele*, pensou Bonnie.

Os irmãos ficaram se olhando enquanto o silêncio e a tensão se estendiam entre os dois. Só então Bonnie pôde ver a semelhança familiar em seus rostos, um sério e intenso, o outro afável e meio debochado, mas ambos inumanamente lindos.

Stefan soltou a respiração lentamente.

— Tudo bem — concordou em voz baixa. Agora Bonnie, Matt e Meredith o encaravam, mas ele não pareceu perceber. Falou com Damon como se só os dois estivessem presentes. — Você fica aqui, na frente da casa, onde não será visto. Voltarei e assumirei quando terminar o que preciso fazer.

As sobrancelhas de Meredith estavam mais erguidas do que nunca, mas ela não fez nenhum comentário. Nem Matt. Bonnie tentou vencer a própria inquietação. Stefan devia saber o que estava fazendo, disse a si mesma. De qualquer forma, ele *sabe muito bem o que não deve fazer.*

— Não demore muito — disse Damon com desprezo.

E foi esse o último cenário que viram, com Damon misturando-se na sombra das nogueiras no jardim de Vickie e a própria Vickie em seu quarto, balançando-se sem parar.

No carro, Meredith disse:

— Para onde agora?

— Preciso testar uma teoria — disse Stefan.

— De que o assassino é um vampiro? — perguntou Matt da traseira, onde estava sentado com Bonnie.

Stefan olhou para ele de forma incisiva.

— Sim.

— Foi por isso que disse a Vickie para não convidar ninguém a entrar — acrescentou Meredith, para não ser superada no quesito raciocínio. Os vampiros, lembrou-se Bonnie, não podem entrar num lugar onde vivem e dormem humanos se não forem convidados. — E foi por isso que perguntou se o homem estava usando uma pedra azul.

— Um amuleto para protegê-lo da luz do dia — disse Stefan, abrindo a mão direita. No dedo médio havia um anel de prata com um lápis-lazúli. — Sem uma dessas, a exposição direta ao sol nos mata. Se o assassino *for* um vampiro, ele tem uma pedra dessas em algum lugar do corpo. — Como que por instinto, Stefan tocou brevemente algo sob a camiseta. Depois de um instante, Bonnie percebeu o que devia ser.

O anel de Elena. Stefan dera a ela, e depois de sua morte ele o pegou para usar numa corrente no pescoço. Assim essa parte dela ficaria com ele para sempre, segundo ele.

Quando Bonnie olhou para o lado, viu que os olhos de Matt estavam fechados.

— Então, como vamos saber se ele é vampiro? — perguntou Meredith.

— Só consigo pensar numa maneira e não é muito agradável. Mas tem que ser feito.

O coração de Bonnie afundou. Se Stefan pensava que não era muito agradável, a própria Bonnie sabia que ia descobrir que era ainda pior.

— O que é? — disse ela sem qualquer entusiasmo.

— Preciso dar uma olhada no corpo de Sue.

Houve um silêncio mortal. Até Meredith, normalmente tão inabalável, ficou horrorizada. Matt virou a cara, encostando a testa no vidro.

— Deve estar brincando — disse Bonnie.

— Bem que eu gostaria.

— Mas... pelo amor de Deus, Stefan. Não *podemos*. Não vão deixar. Isto é, o que vamos dizer? "Com licença, posso procurar buracos nesse cadáver?"

— Bonnie, pare com isso — disse Meredith.

— Não posso evitar — rebateu Bonnie, tremendo. — É uma ideia *terrível*. E além de tudo, a polícia verificou o corpo dela. Não havia marca nenhuma, a não ser os cortes que teve na queda.

— A polícia não sabe o que procurar — disse Stefan. Sua voz era de aço. Ouvi-la lembrava alguma coisa a Bonnie, algo que ela tendia a esquecer. Stefan era um *deles*. Um dos caçadores. Ele já vira mortos na vida. Pode até ter matado alguns.

Ele bebe *sangue*, pensou ela, e tremeu.

— E então? — disse Stefan. — Ainda estão comigo?

Bonnie tentou sumir no banco traseiro. As mãos de Meredith estavam firmes no volante. Foi Matt quem falou, virando-se da janela.

— Não temos alternativa, temos? — disse ele, cansado.

— O corpo poderá ser visto de sete às dez na capela funerária — acrescentou Meredith em voz baixa.

— Vamos ter de esperar até depois disso, então. Depois que fecharem a capela, quando estivermos sozinhos com ela — disse Stefan.

— Esta é a coisa mais horripilante que já tive de fazer — sussurrou Bonnie com tristeza. A capela funerária estava escura e fria. Stefan tinha arrombado a fechadura da porta com um arame fino e flexível.

A sala de visitação tinha um carpete grosso, as paredes cobertas de painéis escuros de carvalho. Teria sido um lugar deprimente até com as luzes acesas. No escuro, parecia um lugar apertado, sufocante e apinhado de formas grotescas. Parecia que alguém podia estar agachado atrás de cada um dos muitos arranjos florais.

— Eu não queria *estar* aqui — gemeu Bonnie.

— Vamos acabar logo com isso, está bem? — disse Matt entredentes.

Quando ele acendeu a lanterna, Bonnie olhou para todo lado, menos para onde a luz apontava. Ela não queria ver o caixão, *não queria*. Olhou as flores, as rosas em formato de coração. Lá fora, o trovão soava como um animal adormecido.

— Vamos abrir isso... pronto — dizia Stefan. Apesar de sua decisão, Bonnie acabou vendo.

O caixão era branco, revestido de cetim rosa-claro. O cabelo louro de Sue brilhava contra o fundo como o cabelo de uma princesa de conto de fadas adormecida. Mas Sue não parecia estar dormindo. Estava pálida demais, imóvel demais. Como uma boneca de cera.

Bonnie se aproximou um pouco, os olhos fixos no rosto de Sue.

Por isso é tão frio aqui, disse ela a si mesma. Para evitar que a cera derreta. Isso ajudou um pouco.

Stefan estendeu a mão e tocou a blusa rosa de gola alta de Sue. Ele abriu o primeiro botão.

— Pelo amor de *Deus* — sussurrou Bonnie, ofendida.

— Para que acha que estou fazendo isso? — sibilou Stefan. Mas seus dedos pararam no segundo botão.

Bonnie olhou por um minuto, depois tomou uma decisão.

— Saia da frente — disse ela e, como Stefan não se mexeu de imediato, deu-lhe um empurrão. Meredith se aproximou e as duas formaram uma falange entre Sue e os meninos. Seus olhos se encontraram com compreensão. Se tinham mesmo de tirar a blusa, os meninos estavam fora.

Bonnie abriu os botões pequenos enquanto Meredith segurava a lanterna. A pele de Sue parecia de cera, fria contra a ponta de seus dedos. Sem jeito, ela dobrou a blusa para trás, revelando um sutiã branco de renda. Depois, Bonnie se obrigou a tirar o cabelo dourado e brilhante do pescoço pálido de Sue. O cabelo estava duro de spray.

— Não tem buracos — disse ela, olhando o pescoço de Sue. Ela estava orgulhosa por sua voz parecer quase controlada.

— Não — disse Stefan com estranheza. — Mas tem outra coisa. Veja isto. — Gentilmente, ele passou por Bonnie para apontar um corte, pálido e sem sangue como a pele que o cercava, mas visível como uma linha fraca correndo da clavícula ao peito. Acima do coração. O dedo longo de Stefan traçou o ar acima dele e Bonnie enrijeceu, pronta para dar um tapa em sua mão se ele a tocasse.

— O que é isso? — perguntou Meredith, confusa.

— Um mistério — disse Stefan. Sua voz ainda era distante. — Se eu visse uma marca assim em um vampiro, seria porque o vampiro estava dando sangue a um humano. É assim que se faz. Os dentes humanos não conseguem penetrar nossa pele, então a cortamos, quando queremos compartilhar sangue. Mas Sue não era vampira.

— Mas é claro que não! — disse Bonnie. Ela tentou reprimir a imagem que sua mente queria lhe mostrar, de Elena curvada sobre um corte como esse no peito de Stefan, chupando, bebendo...

Ela tremeu e percebeu que seus olhos estavam fechados.

— Há mais alguma coisa que precise ver? — disse ela, abrindo os olhos.

— Não. Já basta.

Bonnie fechou os botões. Arrumou novamente o cabelo de Sue. Depois, enquanto Meredith e Stefan recolocavam a tampa do caixão, andou rapidamente pela sala e foi para a porta. Ali parou, envolvendo o corpo nos próprios braços.

Uma mão tocou de leve seu cotovelo. Era Matt.

— Você é mais durona do que parece — disse ele.

— É, bom... — Ela tentou dar de ombros. E de repente estava chorando, e chorando muito. Matt a abraçou.

— Eu sei — disse ele. Só isso. Não disse "Não chore", nem "Calma", nem "Vai ficar tudo bem". Só "Eu sei". A voz dele tinha a desolação que Bonnie sentia.

— Colocaram spray no cabelo dela — disse ela entre soluços. — Sue *nunca* usou spray para cabelo. É horrível. — De algum modo, neste momento, isto parecia o pior de tudo.

Ele simplesmente a abraçou.

Depois de um tempo, Bonnie recuperou o fôlego. Descobriu que se abraçava a Matt de uma forma quase dolorosa e afrouxou os braços.

— Molhei sua camisa toda — disse ela num tom de desculpas, fungando.

— Isso não tem importância.

Algo na voz de Matt a fez recuar e olhar para ele. Sua expressão era a mesma que Bonnie vira no estacionamento da escola. Tão perdido, tão... sem esperanças.

— Matt, o que foi? — sussurrou ela. — Por favor.

— Eu já falei — Ele olhava uma distância imensurável. — Sue está morta aqui, e não devia estar. Você mesma disse, Bonnie, que mundo é esse que deixa uma coisa dessas acontecer?

Que deixa uma menina como a Sue ser assassinada por prazer, ou crianças do Afeganistão passarem fome, ou filhotes de foca serem despelados vivos? Se o mundo é assim, o que mais importa? Já está tudo acabado mesmo. — Ele parou e pareceu voltar a si. — Entende o que estou dizendo?

— Não sei bem. — Bonnie nem achava que queria entender. Era apavorante demais. Mas foi dominada pelo impulso de reconfortá-lo, de salvá-lo daquele olhar perdido. — Matt, eu...

— Acabamos — disse Stefan de trás.

Enquanto Matt se voltava para a voz, a aparência de perdido pareceu se intensificar.

— Às vezes acho que *todos* estamos acabados — disse Matt, afastando-se de Bonnie, sem explicar o que queria dizer com aquilo. — Vamos.

7

Stefan se aproximou com relutância da casa da esquina, quase temeroso do que podia encontrar. De certo modo esperava que Damon tivesse abandonado seu posto. Antes de mais nada, talvez tenha sido um idiota por confiar nele.

Mas, quando chegou ao quintal, havia um tremor de movimento em meio às nogueiras. Seus olhos, mais aguçados do que os de um humano porque eram adaptados para a caça, distinguiram a sombra mais escura encostada num tronco.

— Demorou muito para voltar.

— Tive de deixar os outros em segurança em casa. E precisei me alimentar.

— Sangue animal — disse Damon com desdém, os olhos fixos em uma manchinha redonda na camiseta de Stefan. — Coelho, a julgar pelo cheiro. De certo modo é adequado, não acha?

— Damon... Eu dei verbena a Bonnie e a Meredith também.

— Uma precaução sensata — disse Damon, mostrando os dentes.

Uma onda familiar de irritação tomou Stefan. Por que Damon sempre tinha de ser tão difícil? Falar com ele era como andar entre minas terrestres.

— Agora eu vou — continuou Damon, pendurando a jaqueta no ombro. — Tenho meus próprios negócios para cuidar. — Ele lançou um sorriso arrasador por sobre o ombro. — Não espere acordado.

— Damon. — Damon se virou um pouco, sem olhar, mas atento. — A última coisa de que precisamos é uma menina desta cidade gritando "vampiro!" — disse Stefan. — Ou mostrando os sinais. Essas pessoas já passaram por isso; não são ignorantes.

— Vou me lembrar disso. — Foi falado com ironia, mas era a coisa mais próxima de uma promessa que Stefan arrancaria do irmão na vida.

— E Damon?

— O que é agora?

— Obrigado.

Essa foi demais. Damon girou o corpo, os olhos frios e nada convidativos, os olhos de um estranho.

— Não espere nada de mim, meu irmãozinho — disse ele, ameaçador. — Porque estará errado sempre. E não pense também que pode me manipular. Aqueles três humanos podem seguir você, mas eu não. Estou aqui por meus próprios motivos.

Damon se foi antes que Stefan encontrasse palavras para responder. Isso não teria importado. Damon nunca ouvia nada do que ele dizia. Damon nunca o chamava pelo nome. Era sempre o desdenhoso "irmãozinho".

E agora partiu para provar o quanto era indigno de confiança, pensou Stefan. Que maravilha. Ele faria alguma coisa particularmente cruel só para mostrar a Stefan do que era capaz.

Cansado, Stefan encontrou uma árvore onde se encostar e deslizou por ela para olhar o céu noturno. Tentou pensar no problema que tinha, no que descobrira esta noite. A descrição que Vickie fizera do assassino. Alto, louro de olhos azuis, pensou ele, isso o lembrava de alguém. Não alguém que tenha conhecido, mas de que ouvira falar...

Era inútil. Ele não conseguia se concentrar no enigma. Estava cansado, sentia-se sozinho e precisava desesperadamente de consolo. E a verdade nua e crua era que não havia consolo para ele.

Elena, você mentiu para mim. Stefan disse para si mesmo.

Foi a única coisa em que ela insistira, a única que sempre prometera. "Aconteça o que acontecer, Stefan, eu estarei com você. Diga que acredita nisso." E ele respondeu, indefeso a seu feitiço, "Ah, Elena, eu acredito. Aconteça o que acontecer, ficaremos juntos".

Mas ela o deixara. Não por vontade própria, talvez, mas o que isso importava, no fim das contas? Ela o deixara e fora embora.

Havia ocasiões em que só o que ele queria era segui-la.

Pense em outra coisa, qualquer outra coisa, disse Stefan a si mesmo, mas era tarde demais. Depois de libertas, as imagens de Elena giravam em volta dele, dolorosas demais para suportar, belas demais para que ele as afugentasse.

A primeira vez em que ele a beijou. O choque de doce vertigem quando sua boca encontrou a dela. E depois continuou, um choque depois do outro, mas em um nível cada vez mais profundo. Como se ela estivesse atingindo a essência dele, um cerne de que ele quase se esquecera.

Assustado, ele sentiu a guarda baixar. Todos os seus segredos, toda sua resistência, todos os truques que usava para manter as pessoas a uma distância segura. Elena dilacerara tudo, expondo a vulnerabilidade de Stefan.

Expondo sua alma.

E no fim ele concluiu que queria. Queria que Elena o visse sem defesas, sem muralhas. Queria que ela o conhecesse como ele realmente era.

Apavorante? Sim. Quando ela enfim descobriu seu segredo, quando ela o encontrou se alimentando daquela ave, ele encolhera de vergonha. Tinha certeza de que ela se afastaria por causa do sangue em sua boca, apavorada. Com nojo.

Mas quando ele a olhou nos olhos naquela noite, viu a compreensão. O perdão. O amor.

O amor de Elena o curara.

E foi quando ele entendeu que os dois jamais se separariam.

Outras lembranças surgiram e Stefan se agarrou a elas, embora a dor o rasgasse com suas garras. Sensações. Elena encostada nele, suave em seus braços. O roçar de seu cabelo no rosto, leve como as asas de uma mariposa. A curva de seus lábios, o gosto deles. O azul-escuro inacreditável de seus olhos.

Tudo perdido. Tudo para sempre fora de seu alcance.

Mas Bonnie fizera contato com Elena. O espírito de Elena, sua alma, ainda estava presente.

De todas as pessoas, ele devia ser capaz de invocá-la. Tinha o Poder. E tinha mais direito do que qualquer um de procurá-la.

Ele sabia como se fazia. Fechar os olhos. Imaginar a pessoa que quer atrair. Isso era fácil. Ele podia ver Elena, senti-la, sentir seu cheiro. Depois chamá-la, deixar que o desejo se estendesse ao vazio. Abrir-se e deixar que sua carência fosse sentida.

Era mais fácil ainda. Stefan não dava a mínima para o perigo. Apelou ao seu desejo, a toda sua dor, entregando-os e pedindo, como uma oração.

E o que sentiu... nada.

Só o vazio e sua própria solidão, apenas o silêncio.

O poder de Stefan não era o mesmo de Bonnie. Ele não podia fazer contato com o que mais amava, o que mais importava para ele.

Nunca se sentira tão sozinho em toda a vida.

— Você quer *o quê?* — disse Bonnie.

— Um registro sobre a história de Fell's Church. Em particular sobre os fundadores — disse Stefan. Estavam todos sentados no carro de Meredith, estacionado a uma distância discreta atrás da casa de Vickie. Era o anoitecer do dia seguinte e eles tinham voltado dos funerais de Sue... Com exceção de Stefan.

— Tem alguma coisa a ver com a Sue, não tem? — Os olhos escuros de Meredith, sempre tão equilibrados e inteligentes, sondavam os de Stefan. — Acha que resolveria o mistério.

— É possível — admitiu ele. Stefan passou o dia pensando. Deixou a dor para trás na noite anterior e mais uma vez estava controlado. Embora não conseguisse contato com Elena, podia justificar a fé que Elena tinha nele; podia fazer o que ela queria. E havia conforto no trabalho, na concentração. Mantinha as emoções ao largo. Ele acrescentou: — Tenho uma ideia sobre o que pode ter acontecido, mas é um tiro no escuro e não quero fazer isso sem ter certeza.

— Por quê? — perguntou Bonnie. Que contraste com Meredith, pensou Stefan. O cabelo vermelho como fogo e um espírito que correspondia a ele. Mas aquele rosto delicado em formato de coração e a pele quase transparente eram enganosos. Bonnie era esperta e engenhosa, mesmo que ela mesma só estivesse começando a descobrir isso agora.

— Porque, se eu estiver errado, um inocente pode se machucar. Olha, a essa altura é só uma ideia. Mas prometo que se descobrir qualquer prova esta noite, vou contar tudo a vocês.

— Pode falar com a sra. Grimesby — sugeriu Meredith. — Ela é a bibliotecária da cidade e sabe muito sobre a fundação de Fell's Church.

— Ou sempre tem a Honoria — disse Bonnie. — Quer dizer, ela *foi* uma das fundadoras.

Stefan olhou para ela rapidamente.

— Pensei que Honoria Fell tivesse parado de se comunicar com você — disse ele com cautela.

— Eu não quis dizer falar com *ela*. Ela se foi, puf — disse Bonnie, revoltada. — Quis dizer o diário dela. Fica na biblioteca, bem do lado do diário de Elena; a sra. Grimesby os colocou num mostruário perto da mesa da recepção.

Stefan ficou surpreso. Não gostava muito da ideia de o diário de Elena ficar exposto. Mas os registros de Honoria podiam ser exatamente o que ele procurava. Honoria não só foi uma mulher sensata; era versada no sobrenatural. Uma bruxa.

— Agora a biblioteca está fechada — disse Meredith.

— Melhor ainda — disse Stefan. — Ninguém vai saber em quais informações estamos interessados. Dois de nós podem ir lá e entrar, e os outros dois podem ficar aqui. Meredith, se puder vir comigo...

— Gostaria de ficar aqui, se não se importa — disse ela. — Estou cansada — acrescentou à guisa de explicação, vendo a expressão dele. — E assim posso terminar meu turno e ir para casa mais cedo. Por que não vão você e Matt, e Bonnie e eu ficamos aqui?

Stefan ainda a olhava.

— Tudo bem — disse ele devagar. — Está bem. Se não tiver problema para Matt. — Matt deu de ombros. — Então é isso. Vamos levar algumas horas. Vocês duas fiquem no carro com as portas trancadas. Devem ficar seguras assim. — Se ele tivesse razão em sua desconfiança, não haveria mais ataques por algum tempo, ou pelo menos por alguns dias. Bonnie e Meredith *deviam* estar seguras. Mas Stefan não conseguia deixar de se perguntar o que havia por trás da sugestão de Meredith. Não era simples cansaço, disso ele tinha certeza.

— Aliás, cadê o Damon? — perguntou Bonnie enquanto ele e Matt partiam.

Stefan sentiu os músculos do estômago se apertarem.

— Não sei. — Ele esperava mesmo que alguém perguntasse. Não via o irmão desde a noite anterior e não fazia ideia de onde Damon poderia estar.

— Ele vai acabar aparecendo — disse ele, e fechou a porta do carro de Meredith. — E é isso que eu temo.

Ele e Matt foram a pé e em silêncio para a biblioteca, permanecendo nas sombras, evitando áreas iluminadas. Ele não podia ser visto. Stefan voltara para ajudar Fell's Church, mas tinha certeza de que Fell's Church não queria sua ajuda. Era um estranho de novo, um intruso. Eles o machucariam se o pegassem.

Foi fácil arrombar a fechadura da biblioteca, só um simples mecanismo de mola. E os diários estavam onde Bonnie dissera.

Stefan obrigou a sua mão a se afastar do diário de Elena. Dentro dele estava o registro dos últimos dias de Elena, em sua própria letra. Se começasse a pensar nisso agora...

Ele se concentrou no livro com capa de couro ao lado. Era complicado ler a tinta desbotada nas páginas amareladas, mas depois de alguns minutos seus olhos se adaptaram à escrita densa e intrincada e seus floreios elaborados.

Era a história de Honoria Fell e o marido que, assim como os Smallwood e algumas outras famílias, vieram para Fell's Church quando o lugar ainda era uma região erma e despovoada. Tiveram de enfrentar não só os perigos do isolamento e da fome, mas da vida nativa. Honoria contava a história de sua batalha para sobreviver com simplicidade e clareza, sem sentimentalismos.

E, naquelas páginas, Stefan encontrou o que procurava.

Com um formigamento na nuca, ele releu o registro com atenção. Por fim se recostou e fechou os olhos.

Ele tinha razão. Não havia mais dúvidas. E isso significava que também devia estar certo sobre o que acontecia em Fell's Church agora. Por um instante, Stefan foi tomado por uma intensa náusea e uma raiva que deu a ele uma súbita vontade de rasgar, de machucar alguma coisa. Sue. A linda Sue, que foi amiga de Elena, morreu por... isso. Um ritual de sangue, uma iniciação obscena. Stefan teve vontade de *matar*.

Mas a raiva esmaeceu, substituída por uma determinação feroz de deter o que estava acontecendo e consertar as coisas.

Eu lhe prometo, sussurrou ele a Elena em sua mente. Vou *impedir* isso de alguma maneira. Aconteça o que acontecer.

Ele olhou para Matt e descobriu que ele o fitava.

O diário de Elena estava na mão de Matt, fechando-se sobre seu polegar. Nesta hora os olhos de Matt pareciam tão escuros quanto os de Elena. Escuros demais, cheios de confusão, tristeza e algo parecido com amargura.

— Você descobriu — disse Matt. — E é ruim.

— Sim.

— Tinha que ser. — Matt recolocou o diário de Elena no mostruário e se levantou. Havia um tom quase satisfeito em sua voz. Como de alguém que acabasse de vencer uma discussão. — Eu podia ter poupado você do trabalho de vir até aqui. — Matt examinou a biblioteca escura, sacudindo moedas no bolso. Um observador qualquer poderia pensar que ele estava relaxado, mas sua voz o traía. Era rude de tensão. — A gente imagina a pior coisa que pode e é sempre a verdade — disse ele.

— Matt... — Uma preocupação súbita afetou Stefan. Ele andara ocupado demais desde que voltara a Fell's Church para observar Matt com atenção. Agora percebia que tinha sido imperdoavelmente idiota. Algo estava muito errado. Por trás daquela fachada, todo o corpo de Matt estava rígido de tensão. E Stefan podia sentir a angústia, o desespero na mente de Matt.

— Matt, o que foi? — disse ele em voz baixa. Stefan se levantou e foi até o outro. — Foi alguma coisa que eu fiz?

— Eu estou bem.

— Você está tremendo. — Era verdade. Leves tremores percorriam seus músculos tensos.

— Eu disse que estou bem! — Matt afastou-se dele, os ombros recurvados, na defensiva. — Aliás, o que *você* pode ter feito para me aborrecer? Quero dizer, além de roubar minha garota e deixar que ela morresse?

Esta punhalada foi diferente, atingiu algum lugar no coração de Stefan, perfurando-o diretamente. Como a lâmina que o matara há tanto tempo. Ele tentou respirar, sem confiar que conseguiria falar.

— Desculpe. — A voz de Matt era carregada e Stefan viu que os ombros tensos tinham arriado. — Foi uma coisa horrível de se dizer.

— Foi a verdade. — Stefan esperou um momento e acrescentou, com tranquilidade: — Mas esse não é todo o problema, não é verdade?

Matt não respondeu. Olhava o chão, empurrando alguma coisa invisível com a lateral de um dos tênis. Quando Stefan estava prestes a desistir, o próprio Matt fez uma pergunta:

— Como é realmente o mundo?

— Como... o quê?

— O mundo. Você viu muito dele, Stefan. Tem uns quatro ou cinco séculos a mais do que nós, não é? Então, como é? Quero dizer, é basicamente o tipo de lugar que vale salvar ou é essencialmente um monte de bosta?

Stefan fechou os olhos.

— Ah.

— E as pessoas, hein, Stefan? A raça humana. Somos a doença ou só o sintoma? Quero dizer, pense em alguém como... Elena. — A voz de Matt tremeu levemente, mas ele continuou. — Elena morreu para manter a cidade segura para meninas como Sue. E agora Sue morreu. E tudo está acontecendo de novo. Não acaba nunca. Não podemos vencer. Então, o que você acha disso tudo?

— Matt.

— O que quero saber é o seguinte, que sentido tem? É alguma piada metafísica que não estou entendendo? Ou a coisa toda não passa de um grande erro de merda? Entende o que estou tentando dizer?

— Eu entendo, Matt. — Stefan se sentou e passou as mãos no cabelo. — Se calar a boca por um minuto, vou tentar responder.

Matt puxou uma cadeira e sentou-se virado para o encosto.

— Ótimo. Por favor, se esforce. — Seus olhos duros o desafiavam, mas por baixo Stefan viu a mágoa e a confusão que fermentavam ali.

— Eu vi muito do mal, Matt, mais do que pode imaginar — disse Stefan. — Até vivi nele. Sempre fará parte de mim, por mais que eu o combata. Às vezes acho que toda a raça humana é cruel, que dirá minha espécie. E às vezes acho que nas duas raças há tanta gente má que não importa o que pode acontecer ao resto. Mas, quando se chega a esse ponto, não se sabe mais o que fazer. Não posso lhe dizer se há um fim ou se as coisas sempre mudam para a melhor. — Stefan olhou nos olhos de Matt e falou com segurança. — Mas tenho outra pergunta para você. E daí?

Matt o fitou.

— E daí?

— É. E daí.

— E daí que o mundo seja cruel e que nada do que tentarmos para mudá-lo faça alguma diferença? — A voz de Matt ganhava volume com sua incredulidade.

— É, e daí? — Stefan se inclinou para a frente. — E daí o que você vai fazer, Matt Honeycutt, se cada coisa ruim que disse for verdade? O que você, pessoalmente, vai fazer? Vai parar de lutar e nadar com os tubarões?

Matt segurava o encosto da cadeira.

— Do que está falando?

— Você pode fazer isso, sabe que sim. Damon diz isso o tempo todo. Pode se juntar ao lado do mal, o lado vencedor. E ninguém pode culpar você, porque se o mundo é assim, por que você não seria também?

— Mas que inferno! — explodiu Matt. Seus olhos azuis estavam em brasa e ele se levantava da cadeira. — Talvez esta seja a solução de Damon! Mas só porque é um caso perdido não quer dizer que a gente possa parar de lutar. Mesmo que eu *saiba* que é um caso perdido, ainda preciso tentar. Preciso tentar, mas que droga!

— Eu sei. — Stefan se recostou e abriu um sorriso fraco. Era um sorriso cansado, mas mostrava a amizade que sentia por Matt. E num momento ele viu no rosto de Matt que ele entendia.

— Sei, porque sinto o mesmo — continuou Stefan. — Não há desculpas para desistir só porque parece que será uma batalha perdida. Precisamos tentar... Porque a alternativa é a rendição.

— Não estou pronto para me render a *nada* — disse Matt entredentes. Parecia que ele estivera combatendo um incêndio por dentro, que queimou tudo o que podia. — Nunca — disse ele.

— Sim, ora, "nunca" é muito tempo — disse Stefan. — Mesmo sem garantia nenhuma, também vou tentar. Não sei se é possível, mas vou tentar.

— É o que qualquer um deveria fazer — disse Matt. Lentamente, ele afastou a cadeira e se colocou de pé. A tensão deixara seus músculos e os olhos eram claros, quase os olhos azuis penetrantes de que Stefan se lembrava. — Tudo bem — disse ele em voz baixa. — Se descobriu o que procurava, é melhor voltarmos às meninas.

Stefan refletiu, a mente trocando de marcha.

— Matt, se eu estiver certo sobre o que está havendo, as meninas devem ficar bem por um tempo. Vá você e fique ao lado delas. Já que estou aqui, há uma coisa que gostaria de ler... De um sujeito chamado Gervase de Tilbury, que viveu no início dos anos 1200.

— Antes mesmo de sua época, né? — disse Matt, e Stefan respondeu com a sugestão de um sorriso. Eles ficaram parados por um momento, olhando-se. — Tudo bem, então — continuou Matt — Acho que vejo você na casa da Vickie. — Matt se voltou para a porta, depois hesitou. Abruptamente, virou-se de novo e estendeu a mão. — Stefan... Estou feliz por ter voltado.

Stefan pegou a mão de Matt.

— E eu fico feliz em ouvir isso — Foi só o que Stefan disse, mas por dentro sentia um calor que afastava a dor da punhalada.

E parte da solidão também.

8

De onde Bonnie e Meredith estavam sentadas no carro, só era possível ver a janela de Vickie. Teria sido melhor chegar mais perto, mas alguém podia descobri-las.

Meredith serviu o que restava de café na garrafa térmica e bebeu. Depois bocejou. Ela se empertigou, cheia de culpa, e olhou para Bonnie.

— Também tem tido problemas para dormir à noite?

— Tenho. Nem imagino por quê — disse Meredith.

— Acha que os meninos estão tendo uma conversinha?

Meredith olhou-a rapidamente, visivelmente surpresa, depois sorriu. Bonnie percebeu que Meredith não esperava que ela entendesse.

— Espero que sim — disse Meredith. — Pode fazer bem a Matt.

Bonnie assentiu e relaxou no banco. O carro de Meredith nunca pareceu tão confortável.

Quando voltou a olhar para Meredith, a menina de cabelos pretos dormia.

Ah, que ótimo. Incrível. Bonnie olhou a borra em sua xícara de café, fazendo uma careta. Não se atrevia a relaxar de novo; se as *duas* dormissem, podia ser um desastre. Ela cravou as unhas nas palmas das mãos e olhou a janela iluminada de Vickie.

Quando começou a enxergar as imagens se duplicando diante dela, entendeu que precisava fazer alguma coisa.

Ar fresco. Isso ajudaria. Sem se incomodar em fazer silêncio, ela destrancou a porta e puxou a maçaneta. A porta se abriu, mas Meredith continuou respirando profundamente.

Ela deve mesmo estar cansada, pensou Bonnie, saindo. Fechou a porta com mais gentileza, trancando Meredith por dentro. Foi só então que se deu conta de que não tinha a chave.

Ah, que seja, ela acordaria Meredith para entrar de novo. Enquanto isso, ia dar uma olhada em Vickie. Vickie ainda devia estar acordada.

O céu era melancólico e nublado, mas a noite era cálida. Atrás da casa de Vickie, as nogueiras se agitavam. Grilos cricrilavam, mas seu canto monótono só parecia compor um silêncio maior.

O cheiro de madressilva encheu as narinas de Bonnie. Ela bateu as unhas de leve na janela de Vickie, espiando pela fresta na cortina.

Nenhuma resposta. Na cama, podia distinguir um monturo de cobertores com cabelo castanho desgrenhado aparecendo no alto. Vickie também dormia.

Parada ali, o silêncio pareceu se adensar, envolvendo Bonnie. Os grilos não cantavam mais e as árvores ficaram imóveis. E, no entanto, era como se ela estivesse se esforçando para ouvir alguma coisa que *sabia* que estava presente.

Eu não estou sozinha, percebeu Bonnie.

Nenhum de seus sentidos comuns lhe dizia isso. Mas seu sexto sentido, aquele que provocava arrepios nos braços e frio na espinha, aquele que recentemente fora despertado na presença do Poder, estava certo. Havia... alguma coisa... por perto. Algo... que a observava.

Bonnie se virou devagar, com medo de fazer algum ruído. Se não fizesse ruído algum, talvez o que quer que fosse não a incomodasse. Talvez nem notasse a presença dela.

Mas o silêncio tornou-se mortal e ameaçador. Zumbia em seus ouvidos com o pulsar seu próprio sangue. E ela não conseguia deixar de imaginar o que podia surgir gritando a qualquer minuto.

Algo com mãos quentes e úmidas, pensou ela, olhando o breu do quintal. Escuridão no cinza, preto no preto, era só o que conseguia ver. Cada forma podia ser qualquer coisa e todas as sombras pareciam se mexer. Algo com mãos quentes e suadas e braços fortes o suficiente para esmagarem-na...

O estalo de um galho explodiu como um tiro.

Ela girou para o som, os olhos e ouvidos atentos. Mas só havia escuridão e silêncio.

Dedos tocaram sua nuca.

Bonnie girou novamente, quase caindo, quase desmaiando. Estava apavorada demais para gritar. Quando viu quem era, o choque lhe subtraiu todos os sentidos e seus músculos entraram em colapso. Ela teria terminado arriada no chão se ele não a tivesse segurado e a mantido de pé.

— Você parece assustada — disse Damon suavemente.

Bonnie balançou a cabeça. Ainda não tinha voz. Pensou que ainda podia desmaiar. Mas tentou se afastar assim mesmo.

Ele não estreitou o aperto, mas também não a soltou. E lutar seria o mesmo que tentar quebrar um muro de tijolos com as mãos nuas. Ela desistiu e procurou acalmar a respiração.

— Está com medo *de mim*? — disse Damon. Ele sorriu, reprovador, como se os dois partilhassem um segredo. — Não precisa.

Como Elena conseguiu lidar com isso? Mas Elena não precisou, é claro, percebeu Bonnie. No fim, Elena sucumbiu a Damon. Damon vencera e conseguiu o que queria.

Ele soltou um dos braços de Bonnie para acompanhar com os dedos, muito de leve, a curva de seu lábio superior.

— Acho que devo ir embora — disse ele — e não assustar mais você. É o que quer?

Como um coelho e uma serpente, pensou Bonnie. Era assim que o coelho se sentia. Só que eu não acho que ele vá me matar. Mas posso morrer por minha própria conta. Ela sentia que as pernas podiam derreter a qualquer minuto, como se fosse desmaiar. Havia um calor e um tremor dentro dela.

Pense em alguma coisa... rápido. Aqueles olhos escuros e insondáveis agora enchiam o universo. Ela pensou que podia ver estrelas dentro deles. *Pense.* Rápido.

Elena não ia gostar disso, pensou Bonnie, assim que os lábios dele tocaram os dela. Sim, foi isso mesmo. Mas o problema era que ela não tinha forças para falar. O calor crescia, percorrendo todo seu corpo, da ponta dos dedos à sola dos pés. Os lábios dele eram frios, como seda, mas todo o resto era quente. Ela não precisava ter medo; podia se deixar levar e flutuar aquele momento. A doçura tomou seu corpo...

— Mas que merda está acontecendo?

A voz interrompeu o silêncio, quebrou o feitiço. Bonnie se sobressaltou e se viu incapaz de virar a cabeça. Matt estava parado na beira do quintal, os punhos cerrados, os olhos como lascas de gelo azul. Um gelo que podia queimar.

— Fique longe dela — ordenou Matt.

Para surpresa de Bonnie, o aperto em seus braços se afrouxou. Ela recuou, endireitando a blusa, meio sem fôlego. Sua mente funcionava de novo.

— Está tudo bem — disse ela a Matt com a voz quase normal. — Eu só estava...

— Volte para o carro e fique lá.

Agora *peraí um minutinho*, pensou Bonnie. Ela estava feliz por Matt ter aparecido; a interrupção aconteceu numa hora muito conveniente. Mas ele estava pegando meio pesado no papel de irmão mais velho e protetor.

— Olha, Matt...

— Vá — disse ele, ainda encarando Damon.

Meredith não teria deixado que mandassem nela desse jeito. E Elena certamente também não. Bonnie abriu a boca para dizer a Matt para ir ele mesmo se sentar no carro quando, de repente, percebeu um detalhe.

Esta era a primeira vez em meses que ela via Matt realmente *se importar* com alguma coisa. A luz tinha voltado àqueles olhos azuis — o lampejo frio de uma raiva justificada que fazia até Tyler Smallwood recuar. Matt agora estava vivo e cheio de energia. Tinha voltado a ser ele mesmo.

Bonnie mordeu o lábio. Por um momento, reprimiu o orgulho. Depois o dominou e baixou o olhar.

— Obrigada por me salvar — murmurou ela, e saiu do quintal.

Matt estava tão furioso que não se atreveu a se aproximar de Damon por medo de começar a bater nele. E a escuridão gélida nos olhos do vampiro indicava que não seria uma ideia muito boa.

Mas a voz de Damon era suave, quase desapaixonada.

— Meu gosto por sangue não é só um capricho, sabe. É uma necessidade. E você está interferindo. Só estou fazendo o que preciso.

Aquela indiferença e falta de sensibilidade foram demais para Matt. Eles acham que somos comida, lembrou-se ele. São os caçadores e nós somos a presa. E ele tinha as garras em Bonnie, que não conseguiria brigar nem com um gatinho.

— Então por que não escolhe alguém do seu tamanho? — disse Matt com desdém.

Damon sorriu e o ar ficou mais frio.

— Como você?

Matt se limitou a encará-lo. Podia sentir os músculos trincando no queixo. Depois de um instante, disse entredentes:

— Pode tentar.

— Posso fazer mais do que isso, Matt. — Damon deu um único passo na direção dele, como uma pantera espreitando a presa. Involuntariamente, Matt pensou em felinos selvagens, em seu bote poderoso e nos dentes afiados, que dilaceravam. Pensou em como ficou Tyler no barracão no ano anterior, quando Stefan o atacou. Carne vermelha. Só carne vermelha e sangue.

— Qual era mesmo o nome do seu professor de história? — Damon dizia num tom suave. Agora ele parecia se divertir, parecia gostar. — Sr. Tanner, não era? O que fiz com ele foi bem mais do que uma tentativa.

— Você é um assassino.

Damon assentiu, sem se ofender, como se estivesse sendo apresentado.

— É claro que ele enfiou uma faca em mim. Eu não pretendia matá-lo, mas ele me irritou e eu mudei de ideia. Agora é você que está me irritando, Matt.

Matt estava com os joelhos travados para não correr. Era mais do que a elegância furtiva do felino, era mais do que os olhos escuros e sobrenaturais fixos nele. Havia algo *dentro* de Damon que sussurrava terror no cérebro humano. Uma ameaça que falava diretamente ao sangue de Matt, dizendo-lhe para dar um jeito de sair dali.

Mas ele não ia correr. A conversa com Stefan estava esquecida momentaneamente, mas graças a ela, Matt aprendera uma coisa. Mesmo que morresse ali, ele não ia correr.

— Não seja idiota — disse Damon, como se ouvisse cada palavra dos pensamentos de Matt. — Nunca lhe tiraram sangue à força, não é? Isso dói, Matt. Dói muito.

Elena, lembrou-se Matt. Naquela primeira vez, quando ela tirou o sangue dele, ele ficou apavorado e o medo já fora bem assustador. Mas, daquela vez, ele estava fazendo aquilo por vontade própria. Como seria quando não estivesse de acordo?

Eu não vou correr. Não vou virar a cara.

Ele disse em voz alta, ainda olhando fixamente para Damon:

— Se vai me matar, é melhor parar de falar e agir. Porque talvez possa me matar, mas é só o que pode fazer comigo.

— Você é ainda mais idiota do que o meu irmão — observou Damon. Com dois passos, ele atravessou a distância até Matt, pegando-o pela camiseta; a outra mão na lateral do pescoço. — Acho que realmente vou ter de lhe dar uma lição.

Tudo ficou paralisado. Matt podia sentir o cheiro do próprio medo, mas não se mexeu. Não podia se mexer agora.

Isso não importava. Ele não cedeu. Se morresse agora, morreria consciente.

Os dentes de Damon eram fagulhas brancas no escuro. Afiados como facas de carne. Matt quase podia sentir o gume de navalha daqueles dentes antes mesmo que o tocassem.

Não vou me render a nada, pensou ele, e fechou os olhos.

O empurrão quase tirou todo seu equilíbrio. Ele cambaleou e caiu para trás, com os olhos se abrindo de repente. Damon o soltara, empurrando-o em seguida.

Sem expressão, aqueles olhos escuros caíram em Matt, sentado na terra.

— Vou tentar colocar isso de uma maneira que você possa entender — disse Damon. — Você não quer se meter comigo, Matt. Sou mais perigoso do que pode imaginar. Agora dê o fora daqui. É meu turno de vigilância.

Em silêncio, Matt se levantou. Esfregou a camisa, onde as mãos de Damon a amassaram. Depois saiu, mas não correu e não se encolheu sob o olhar de Damon.

Venci, pensou ele. Ainda estou vivo, então venci.

E no fim havia de fato uma espécie de respeito amargo naqueles olhos escuros. Fez com que Matt repensasse muita coisa. Realmente fez.

Bonnie e Meredith estavam sentadas no carro quando ele voltou. As duas pareciam preocupadas.

— Você demorou muito — disse Bonnie. — Está tudo bem?

Matt queria que as pessoas parassem de perguntar isso.

— Eu estou bem — disse ele, e acrescentou: — É sério. — Mas depois de um instante ele concluiu que havia mais uma coisa que devia dizer. — Desculpe se gritei com você antes, Bonnie.

— Está tudo bem — disse Bonnie com frieza. Depois, derretendo, disse: — Você parece mesmo melhor, sabia? Mais como era antigamente.

— É? — Ele esfregou a camiseta amassada de novo, olhando em volta. — Bom, mexer com vampiros obviamente é um ótimo exercício de aquecimento.

— O que vocês fizeram? Baixaram a cabeça, se encararam e correram um na direção do outro, cruzando o quintal? — perguntou Meredith.

— Algo parecido. Ele disse que agora vai vigiar a Vickie.

— Acha que podemos confiar nele? — disse Meredith com seriedade.

Matt pensou no assunto.

— Na realidade, acho. É estranho, mas não acho que ele vá prejudicá-la. E se o assassino aparecer, pode ter uma surpresa. Damon está ávido por uma briga. A gente pode muito bem voltar para a biblioteca e encontrar Stefan.

Stefan não estava visível na frente da biblioteca, mas quando o carro manobrou e desceu a rua uma ou duas vezes, ele se materializou no escuro. Segurava um livro grosso.

— Arrombando, invadindo e roubando um livro grande da biblioteca — observou Meredith. — Foi o que andou fazendo ultimamente?

— Peguei emprestado — disse Stefan, com um ar agressivo. — Não é para isso que servem as bibliotecas? E eu copiei o que precisava do diário.

— Quer dizer que encontrou? Você entendeu? Então pode nos contar tudo, como prometeu — disse Bonnie. — Vamos para o pensionato.

Stefan ficou meio surpreso quando soube que Damon tinha aparecido e assumido seu turno na casa de Vickie, mas não comentou nada. Matt não contou *exatamente como* Damon apareceu, e percebeu que Bonnie fez o mesmo.

— Tenho quase certeza do que está acontecendo em Fell's Church. E, de qualquer maneira, resolvi metade do quebra-cabeça — disse Stefan depois que todos estavam acomodados no quarto do sótão do pensionato. — Mas só há uma maneira de provar, e só uma maneira de resolver a outra metade. Preciso de ajuda, mas não é uma coisa que eu peça de consciência tranquila. — Ele olhava para Bonnie e Meredith ao falar.

Elas se olharam, depois se voltaram para ele.

— Esse cara matou uma de nossas amigas — disse Meredith. — E está enlouquecendo outra. Se precisa de nossa ajuda, já tem.

— Para o que der e vier — acrescentou Bonnie.

— É uma coisa perigosa, não é? — perguntou Matt. Ele não conseguia se reprimir. Como se Bonnie já não tivesse passado pelo suficiente...

— É perigosa, sim. Mas a luta é delas também, você sabe disso.

— Mas é claro que é — disse Bonnie. Meredith obviamente tentava reprimir um sorriso. Por fim se virou e sorriu com malícia.

— Matt voltou — disse ela quando Stefan perguntou qual era a graça.

— Sentimos sua falta — acrescentou Bonnie. Matt não conseguia entender por que todo mundo sorria para ele e isso o deixou envergonhado e pouco à vontade. Foi se postar perto da janela.

— É *realmente* perigoso. Não vou enganar vocês — disse Stefan às meninas. — Mas é a única chance. A história toda é meio complicada, e é melhor começar do início. Temos que voltar à fundação de Fell's Church...

E ele contou, entrando pela madrugada.

Quinta-feira, 11 de junho, 7:00h

Querido Diário,

Não pude escrever ontem à noite porque cheguei tarde demais. Minha mãe estava aborrecida de novo. Ela anda agitada, como se soubesse o que eu realmente ando fazendo. Saindo com vampiros e planejando algo que pode me matar. Que pode matar a todos nós.

Stefan tem um plano para emboscar o cara que matou Sue. Me lembra um dos planos de Elena — e isso me preocupa. Eles sempre parecem incríveis, mas na maior parte das vezes dá tudo errado.

Conversamos sobre quem fica com a parte mais perigosa e decidimos que deve ser Meredith. Por mim, tudo bem — quer dizer, ela é mais forte e mais atlética, e sempre mantém a calma nas emergências. Mas me incomoda um pouco que todo mundo tenha escolhido Meredith tão rápido, em especial Matt. Quer dizer, até parece que sou uma completa incompetente. Sei que não sou tão inteligente como os outros, e certamente não sou tão boa nos esportes nem tenho o sangue frio necessário, mas não sou uma completa idiota. Sou boa em alguma coisa.

Mas então, vamos executar o plano depois da formatura. Todos estamos dentro, menos Damon, que vai ficar vigiando Vickie. É estranho, mas todo mundo agora confia nele. Até eu. Apesar do que ele me fez ontem à noite, não acho que vá deixar que Vickie se machuque.

Não tenho mais sonhado com Elena. Acho que vou perder a cabeça se eu sonhar. Ou nunca mais vou dormir. Simplesmente não suporto mais isso.

Tá legal. É melhor eu ir. Com sorte, no domingo teremos o mistério resolvido e o assassino capturado. Eu confio em Stefan.

Só espero conseguir me lembrar da minha parte.

9

E assim, senhoras e senhores, eu lhes deixo com a turma de 1992!

Bonnie atirou o capelo no ar junto com todos os outros. Conseguimos, pensou ela. Independente do que acontecer esta noite, Matt, Meredith e eu passamos pela formatura. Houve ocasiões neste ano letivo em que ela duvidou seriamente se eles conseguiriam.

Considerando a morte de Sue, Bonnie esperava que a cerimônia de formatura fosse desanimada ou melancólica. Mas na verdade houve uma espécie de excitação frenética, como se todos estivessem comemorando o fato de estarem vivos — antes que fosse tarde demais.

Virou uma confusão enquanto os pais avançaram e os alunos do último ano da Robert E. Lee se dividiram em todas as direções, uivando e se exibindo. Bonnie recuperou o capelo e olhou para a lente da câmera da mãe.

Aja normalmente, é isso que importa, disse ela a si mesma. Ela teve um vislumbre da tia Judith e Robert Maxwell — o homem que com quem tia Judith se casara recentemente — parados nas laterais. Robert segurava a mão da irmã mais nova de Elena, Margaret. Quando viram Bonnie, eles sorriram corajosamente, mas ela se sentiu pouco à vontade no momento que se aproximaram.

— Ah, srta. Gilbert... Quer dizer, sra. Maxwell... Não devia ter feito isso — disse ela a tia Judith, que lhe entregava um pequeno buquê de rosas.

Tia Judith sorriu com lágrimas nos olhos.

— Este deveria ser um dia muito especial para Elena — disse ela. — Quero que seja especial para você e Meredith também.

— Ah, tia Judith. — Por impulso, Bonnie lançou os braços em volta da mulher mais velha. — Eu sinto tanto — sussurrou ela. — A senhora sabe o quanto.

— Todos sentimos falta dela — disse a tia Judith. Depois ela recuou e sorriu de novo, e os três saíram. Bonnie desviou os olhos com um nó na garganta e observou a multidão que comemorava intensamente.

Lá estava Ray Hernandez, o menino que a acompanhou no Baile do Reencontro, convidando todo mundo para uma festa na casa dele naquela noite. O amigo de Tyler, Dick Carter, também estava lá, bancando o idiota, como sempre. Tyler sorria com audácia enquanto o pai tirava uma foto depois de outra. Matt ouvia, com uma expressão nada impressionada, um recrutador de futebol americano da Universidade James Mason. Meredith estava ali perto, segurando um buquê de rosas vermelhas com uma expressão pensativa.

Vickie não estava lá. Os pais dela a mantiveram em casa, dizendo que ela não estava em condições de sair. Caroline também não estava presente. Ficou no apartamento em Heron. A mãe dela disse à mãe de Bonnie que ela se gripou, mas Bonnie sabia a verdade: Caroline estava com medo.

E talvez tivesse razão, pensou Bonnie, andando até Meredith. Caroline podia ser a única de nós a conseguir chegar à semana seguinte.

Pareça normal, aja normalmente. Ela chegou ao grupo de Meredith. Meredith enrolava a fita vermelha e preta do capelo no buquê, o fazendo girar entre seus dedos elegantes e nervosos.

Bonnie olhou rapidamente em volta. Que bom. O lugar era este. E chegou a hora.

— Cuidado com isso; vai estragar tudo — disse ela em voz alta.

O olhar de melancolia pensativa de Meredith não mudou. Ela continuou olhando a fita, torcendo-a.

— Não é justo — disse ela — que a gente receba um desses e Elena não. Não está certo.

— Eu sei; é horrível — disse Bonnie. Mas ela manteve o tom de leveza. — Queria que houvesse alguma coisa que pudéssemos fazer, mas não há.

— *Nada* está certo — continuou Meredith, como se não tivesse ouvido. — Aqui estamos nós, sob a luz do sol, nos formando, e ela está debaixo daquela... pedra.

— Eu sei, eu sei — disse Bonnie num tom tranquilizador. — Meredith, não adianta se revoltar. Por que não tenta pensar em outra coisa? Olha, depois que você jantar com seus pais, quer ir para a festa do Raymond? Mesmo que não tenhamos sido convidadas, podemos entrar de penetras.

— Não! — disse Meredith com uma veemência assustadora. — Não quero ir a festa nenhuma. Como pode sequer pensar nisso, Bonnie? Como pode ser tão fútil?

— Bom, a gente tem que fazer *alguma coisa*...

— Vou te dizer o que *eu* vou fazer. Vou até o cemitério depois do jantar. Vou colocar *isto* no túmulo de Elena. Ela é que merece isso. — Os nós dos dedos de Meredith estavam brancos ao sacudir a fita.

— Meredith, não seja idiota. Não pode ir lá, e muito menos à noite. É loucura. Matt diria a mesma coisa.

— Bom, não estou convidando o Matt. Não estou convidando ninguém. Eu vou sozinha.

— Não pode. Meu Deus, Meredith. Sempre pensei que você tivesse a cabeça no lugar...

— E eu sempre pensei que você tivesse alguma sensibilidade. Mas é evidente que nem quer pensar em Elena. Ou está assim porque quer o antigo namorado dela para você?

Bonnie respondeu com um tapa.

Foi um belo tabefe, carregado de energia. Meredith respirou ruidosamente, a mão no rosto vermelho. Todo mundo em volta olhava agora.

— Vou lhe dizer uma coisa, Bonnie McCullough — disse Meredith depois de um momento, numa voz mortalmente baixa. — Nunca mais quero falar com você. — Ela deu meia-volta e se afastou.

— *Nunca* seria cedo demais para mim! — gritou Bonnie para as costas que se retiravam.

Rapidamente, as pessoas, ao redor evitaram o olhar de Bonnie. Mas não havia dúvidas de que ela e Meredith tinham sido o centro das atenções por vários minutos. Bonnie mordeu o interior da bochecha para manter a expressão séria e foi até Matt, que tinha perdido o recrutador.

— Como foi? — cochichou ela.

— Muito bom.

— Acha que o tapa foi demais? Não planejamos isso; só me deixei levar pelo momento. Talvez fosse óbvio demais...

— Foi tudo ótimo, tudo ótimo. — Matt parecia preocupado. Não tinha aquele olhar vago e apático dos últimos meses, mas estava nitidamente distraído.

— O que foi? Alguma coisa errada com o plano? — disse Bonnie.

— Não, não. Olha, Bonnie, eu andei pensando. Foi você que descobriu o corpo do sr. Tanner na Casa Mal-Assombrada no Halloween passado, não foi?

Bonnie ficou sobressaltada. E tremeu involuntariamente de aversão com a lembrança.

— Bom, eu fui a primeira a saber que ele estava morto, morto de verdade, em vez de só fazendo a cena. Por que quer falar disso agora?

— Porque talvez você possa responder a essa pergunta. O sr. Tanner pode ter dado uma facada em Damon?

— *Como é?*

— Bom, pode ou não?

— Eu... — Bonnie piscou e franziu a testa. Depois deu de ombros. — Acho que sim. Claro. Era uma cena de sacrifício druida, lembra, e a faca que usamos era de verdade. Conversamos sobre usar uma falsa, mas como o sr. Tanner ia ficar deitado ali ao lado dela, concluímos que era seguro. Na verdade...
— O vinco na testa de Bonnie se aprofundou. — Acho que quando encontrei o corpo, a faca estava num lugar diferente de onde tínhamos colocado. Mas alguma criança pode ter mexido. Matt, por que está perguntando?

— Foi só uma coisa que Damon me disse — respondeu Matt, fitando o vazio de novo. — Eu me perguntei se podia ser verdade.

— Ah. — Bonnie esperou que ele dissesse mais, mas ele não falou. — Bom — disse ela por fim —, se está tudo explicado, pode voltar à Terra, por favor? E não acha que devia me abraçar? Só para mostrar que está do meu lado e de jeito nenhum *você* vai aparecer no túmulo da Elena esta noite com Meredith?

Matt bufou, mas o olhar distante sumiu. Por um brevíssimo instante ele deu um abraço apertado em Bonnie.

Déjà vu, pensou Meredith ao parar no portão do cemitério. O problema era que ela não conseguia se lembrar exatamente de quais experiências anteriores esta noite no cemitério faziam-na se lembrar. Foram muitas.

De certo modo, tudo começou ali. Foi ali que Elena jurou não descansar até que Stefan pertencesse a ela. Ela fez Bonnie e Meredith jurarem ajudá-la também — com sangue. Que sutileza, pensou Meredith agora.

E foi ali que Tyler atacou Elena na noite do Baile do Reencontro. Stefan apareceu em seu resgate e este foi o começo dos dois. Este cemitério já viu muita coisa.

Aquele lugar presenciara, inclusive, todo um grupo deles subir a colina até a igreja em ruínas em dezembro passado, procurando pelo covil de Katherine. Sete deles desceram à cripta: a própria Meredith, Bonnie, Matt e Elena, acompanhados por Stefan, Damon e Alaric. Mas só seis conseguiram sair. Quando tiraram Elena de lá, foi para enterrá-la.

Este cemitério foi o começo e também o fim. E talvez viesse a representar outro fim esta noite.

Meredith começou a andar.

Queria que você estivesse aqui agora, Alaric, pensou ela. Eu poderia aproveitar seu otimismo e sua experiência com o sobrenatural — e não me importaria de me aproveitar de seus músculos também.

A lápide de Elena ficava no novo cemitério, é claro, onde a grama ainda era aparada e os túmulos marcados com ramalhetes de flores. A lápide era bem simples, não tinha praticamente nada, apenas uma curta inscrição. Meredith se curvou e depositou o buquê de rosas diante dela. Depois, lentamente, acrescentou a fita vermelha e preta do capelo. Nesta luz fraca, as cores pareciam as mesmas, como sangue seco. Ela se ajoelhou e cruzou as mãos, em silêncio. E esperou.

Todo o cemitério estava quieto. Parecia estar aguardando com ela, prendendo a respiração em expectativa. As filas de lápides brancas se estendiam dos dois lados com um brilho fraco. Meredith tentou ouvir algum som.

E ouviu. Passos pesados.

De cabeça baixa, ela ficou quieta, fingindo não perceber nada.

Os passos pareciam mais próximos, sem se incomodar em parecerem furtivos.

— Oi, Meredith.

Meredith se virou rapidamente.

— Ah... Tyler — disse ela. — Que susto. Pensei que fosse... deixa pra lá.

— É? — Os lábios de Tyler recuaram num sorriso perturbador. — Bom, desculpe decepcioná-la. Mas sou eu, só eu e mais ninguém.

— O que está fazendo aqui, Tyler? Não tem nenhuma festa boa hoje?

— Eu poderia fazer a mesma pergunta. — Os olhos de Tyler caíram na lápide, na fita, e a expressão de seu rosto ficou sombria. — Mas acho que já sei a resposta. Você está aqui por causa *dela*. Elena Gilbert. Uma Luz nas Trevas — ele leu com sarcasmo.

— É isso mesmo — disse Meredith tranquilamente. — "Elena" quer dizer luz, sabe como é. E ela certamente era cercada de trevas. Quase a derrotaram, mas no fim ela venceu.

— Talvez — disse Tyler e endireitou o maxilar, meditativo, semicerrando os olhos. — Mas sabe, Meredith, tem uma coisa engraçada nas trevas. Sempre há mais esperando de tocaia.

— Como nesta noite — disse Meredith, olhando o céu. Era limpo e pontilhado de estrelas fracas. — Está muito escuro hoje, Tyler. Mas em algum momento o sol vai nascer.

— É, mas a lua nasce primeiro. — Tyler riu de repente, como se fosse uma piada que só ele pudesse entender. — Olha, Meredith, já viu o mausoléu da família Smallwood? Venha comigo, vou te mostrar. Não fica longe.

Exatamente como ele mostrou a Elena, pensou Meredith. De certo modo ela estava curtindo esse embate verbal, mas não se esqueceu do que viera fazer ali. Seus dedos frios se enfiaram no bolso do casaco e encontraram o ramo mínimo de verbena.

— Tranquilo, Tyler. Acho que prefiro ficar aqui mesmo.

— Tem certeza? É perigoso ficar sozinha num cemitério.

Espíritos inquietos, pensou Meredith. Ela o olhou.

— Eu sei.

Ele agora sorria, exibindo dentes que mais pareciam lápides.

— De qualquer forma, pode ver daqui, se enxergar bem. Olhe para lá, para o antigo cemitério. Agora, vê alguma coisa com um brilho vermelho no meio?

— Não. — Havia uma fraca luminosidade sobre as árvores a leste. Meredith manteve os olhos fixos ali.

— Poxa, Meredith. Não está se esforçando. Depois que a lua nascer, você vai enxergar melhor.

— Tyler, não posso perder mais tempo aqui. Vou embora.

— Não vai, não — disse ele. E depois, enquanto os dedos dela apertavam a verbena, envolvendo-a, ele acrescentou numa voz sedutora: — Quero dizer, só vai depois que eu explicar qual é a história daquela lápide, está bem? É uma ótima história. Olha, a lápide é feita de mármore vermelho, o único em todo o cemitério. E aquela bola no alto... está vendo?... Deve pesar uma tonelada. Mas ela se mexe. Se mexe toda vez que um

Smallwood está para morrer. Meu avô não acreditava nisso; fez um risco bem na frente dela. Ele vinha verificá-la quase todo mês. E aí, um dia, ele veio e encontrou o risco na parte de trás. A bola tinha virado totalmente. Ele fez tudo o que pôde para desvirá-la, mas não conseguiu. Era pesada demais. Naquela noite, na cama, ele morreu. E foi enterrado sob aquela pedra.

— Deve ter tido um ataque cardíaco por excesso de esforço — disse Meredith, ácida, mas as palmas das mãos formigavam.

— Você é engraçadinha, né? Sempre tão fria. Sempre tão controlada. É preciso muito para fazer você gritar, né?

— Estou indo, Tyler. Já basta para mim.

Ele a deixou andar alguns passos, depois disse:

— Mas você gritou naquela noite na casa de Caroline, não gritou?

Meredith se virou.

— Como sabe disso?

Tyler revirou os olhos.

— Reconheça que eu tenho alguma inteligência, tá legal? Sei de muita coisa, Meredith. Por exemplo, sei o que está no seu bolso.

Os dedos de Meredith enrijeceram.

— Como assim?

— Verbena, Meredith. *Verbena officinalis*. Tive um amigo que gostava dessas coisas. — Tyler agora estava concentrado, o sorriso crescendo, observando a expressão de Meredith como se fosse seu programa de TV preferido. Como um gato cansado de brincar com um camundongo, ele avançava. — E sei também para que serve. — Ele fez uma cena, lançando um

olhar exagerado a seu redor e colocando um dedo nos lábios.
— Shhh. Vampiros — cochichou. Depois lançou a cabeça para trás e deu uma gargalhada.

Meredith recuou um passo.

— Acha que isso vai ajudar, não é? Mas vou te contar um segredo.

Os olhos de Meredith mediram a distância entre ela e a trilha. Ela mantinha a expressão calma, mas um tremor violento começava por dentro. Não sabia se ia conseguir se safar dessa.

— Não vai a lugar nenhum, garota — disse Tyler, e uma grande mão agarrou o pulso de Meredith. Era quente e úmida onde ela podia sentir, por baixo do punho do casaco. — Vai ficar bem aqui, para ver uma surpresa. — O corpo de Tyler estava recurvado, a cabeça lançada para a frente, com uma malícia triunfante nos lábios.

— Me solta, Tyler. Está me machucando! — O pânico correu pelos nervos de Meredith ao sentir a carne de Tyler na dela, mas a mão só segurou com mais força, apertando seu pulso.

— Isso é um segredo, garota, que ninguém mais sabe — disse Tyler, puxando-a para perto, o hálito no rosto de Meredith.
— Você vem aqui toda precavida contra vampiros. Mas não sou um vampiro.

O coração de Meredith martelava.

— Me *solta*!

— Primeiro quero que dê uma olhada ali. Dá para ver a lápide agora — disse ele, virando-a para que ela não pudesse desviar o olhar. E ele tinha razão; ela *podia* ver, como um monumento vermelho com um globo reluzente no alto. Ou — não era um globo. A bola de mármore parecia... parecia...

— Agora olhe para o leste. O que vê lá, Meredith? — Tyler continuava, a voz rouca de excitação.

Era lua cheia. Subira enquanto ele falava com ela, e agora pendia sobre as colinas, perfeitamente redonda e enormemente distendida, uma bola vermelha, imensa e inchada.

E era isso que a lápide parecia. Uma lua cheia pingando sangue.

— Você veio aqui protegida contra vampiros, Meredith — disse Tyler atrás dela, ainda mais rouco. — Mas os Smallwood não são vampiros. Somos outra coisa.

E então ele grunhiu.

Nenhuma garganta humana poderia produzir aquele som. Não era uma imitação de animal; era *real*. Um rosnado gutural e cruel que não parava, fazendo com que Meredith virasse a cabeça para olhar para ele, encarando, incrédula. O que via era tão horrível que sua mente não conseguia aceitar...

Meredith gritou.

— Eu avisei que era uma surpresa. O que acha disso? — disse Tyler. Sua voz era espessa de saliva e a língua vermelha pendia entre as filas de longos dentes caninos. Seu rosto não era mais um rosto. Projetava-se grotescamente em um focinho, e os olhos eram amarelos, com pupilas em fenda. O cabelo arruivado crescera sobre as bochechas e descera até o pescoço. Uma pelagem. — Pode gritar o quanto quiser, mas ninguém vai ouvir você — acrescentou ele.

Cada músculo do corpo de Meredith estava rígido, tentando se afastar dele. Era uma reação visceral que ela não poderia evitar, mesmo que quisesse. O hálito dele era tão quente, e tinha um cheiro selvagem, de animal. As unhas que cravava em seu pulso eram garras rombudas e escuras. Ela não tinha forças para gritar de novo.

— Além dos vampiros, existem outras coisas que adoram sangue — disse Tyler, babando e com sua nova voz. — E quero provar o seu. Mas primeiro vamos nos divertir um pouco.

Embora ele ainda estivesse sobre dois pés, seu corpo era corcunda e estranhamente distorcido. Meredith pouco pôde resistir enquanto ele a forçava ao chão. Ela era uma menina forte, mas ele era muito mais, os músculos inchados sob a camisa agora esgarçada.

— Você sempre foi boa demais para mim, não é? Bom, agora vai descobrir o que estava perdendo.

Não consigo respirar, pensou Meredith, ensandecida. O braço dele estava atravessado em seu pescoço, bloqueando o ar. Ondas cinzentas rolavam por seu cérebro. Se ela desmaiasse agora...

— Vai preferir ter morrido rápido, como Sue. — A cara animal de Tyler flutuava acima dela, vermelha como a lua, com aquela língua comprida e pendente. Com a outra mão, ele segurou seus braços no alto da cabeça. — Já ouviu a história da Chapeuzinho Vermelho?

O cinza se transformava em preto, pontilhado de luzes pequenas. Como estrelas, pensou Meredith. Estou caindo nas estrelas...

— Tyler, tire as mãos dela! Solte-a agora! — gritou a voz de Matt.

O rosnado babujento de Tyler foi interrompido, dando lugar a um gemido de surpresa. O braço no pescoço de Meredith afrouxou a pressão e o ar entrou em seus pulmões.

Passos soavam em volta dela.

— Esperei muito tempo para fazer isso, Tyler — disse Matt, puxando a cabeça arruivada pelos cabelos. Depois o punho de Matt caiu no focinho recém-crescido de Tyler. O sangue jorrou do nariz animal.

O ruído de Tyler fez o coração de Meredith congelar no peito. Ele partiu para Matt, girando em pleno ar, as garras estendidas. Matt caiu de costas com o ataque e Meredith, tonta, tentou se levantar. Não conseguiu; todos os músculos tremiam incontrolavelmente. Mas outra pessoa tirou Tyler de cima de Matt como se Tyler não pesasse mais do que uma boneca de pano.

— Como nos velhos tempos, Tyler — disse Stefan, colocando Tyler a seus pés e encarando-o.

Tyler observou Stefan por um instante, depois tentou fugir.

Ele era rápido, esquivando-se com agilidade entre as filas de lápides. Mas Stefan foi ainda mais rápido e o interceptou.

— Meredith, você está ferida? Meredith? — Bonnie se ajoelhou ao lado dela. Meredith assentiu (ainda não conseguia falar) e deixou que Bonnie apoiasse sua cabeça. — Eu sabia que devia tê-lo parado antes, eu sabia — continuou Bonnie, preocupada.

Stefan arrastava Tyler de volta.

— Eu sempre soube que você era um babaca — disse ele, empurrando Tyler contra uma lápide —, mas não sabia que era tão burro. Pensei que teria aprendido a não atacar meninas em cemitérios, mas não. E ainda teve que se gabar do que fez com a Sue. Não foi nada inteligente também, Tyler.

Meredith olhou para eles, que se encaravam. Tão diferentes, pensou ela. Embora os dois, de certa maneira, fossem criaturas das trevas. Stefan era pálido, os olhos verdes faiscavam de raiva e ameaça, mas havia uma dignidade, quase uma pureza nele. Era como um anjo sombrio entalhado em mármore. Tyler só parecia um animal encurralado. Estava agachado, respirando com dificuldade, o sangue e a saliva se misturando no peito. Os olhos amarelos brilhavam de ódio e medo, e os dedos trabalhavam como se quisessem agarrar alguma coisa. Um ruído grave saía de sua garganta.

— Não se preocupe, desta vez não vou lhe dar uma surra — disse Stefan. — A não ser que tente escapar. Vamos todos à igreja ter uma conversinha. Você gosta de contar histórias, Tyler? Bom, vai me contar uma agora.

Tyler avançou, saltando direto do chão para o pescoço de Stefan. Mas ele estava preparado. Meredith desconfiava de que Stefan e Matt desfrutariam dos minutos seguintes, dando vazão a agressividade acumulada que havia nos dois. Mas ela não estava gostando nem um pouco, então virou o rosto.

No fim, Tyler foi amarrado com uma corda de náilon. Podia andar, ou pelo menos se arrastar, e Stefan segurou as costas de sua camisa e o guiou com urgência caminho acima, até a igreja.

Em seu interior, Stefan empurrou Tyler para o chão ao lado da tumba aberta.

— Agora — disse ele —, vamos conversar. E você vai cooperar, Tyler, ou vai se arrepender muito, mas muito mesmo.

10

Meredith se sentou nas ruínas do que restara da igreja, uma parede na altura dos joelhos.

— Você disse que ia ser perigoso, Stefan, mas não disse que deixaria ele me estrangular.

— Desculpe. Eu esperava que ele desse mais informações, em especial depois de admitir estar lá quando a Sue morreu. Mas não devia ter esperado tanto.

— Eu não teria admitido nada! Você não pode provar nada — disse Tyler. O ganido animal estava de volta a sua voz, mas o rosto e o corpo voltaram ao normal ao longo da caminhada. Ou melhor, voltaram à forma humana, pensou Meredith. Os inchaços, hematomas e sangue seco não eram nada normais.

— Não estamos num tribunal, Tyler — disse Meredith. — Seu pai não vai poder ajudar você agora.

— Mas se fosse, teríamos um caso muito bom — acrescentou Stefan. — O suficiente para acusá-lo de conspiração para cometer assassinato, imagino.

— Isso se alguém não derreter as colheres de sua avó para fazer uma bala de prata — acrescentou Matt.

Tyler olhou de um para outro.

— Não vou dizer nada a vocês.

— Tyler, sabe o que você é? Você é um valentão — disse Bonnie. — E os valentões sempre acabam entregando o jogo.

— Você não se importa de prender uma menina no chão e ameaçá-la — disse Matt —, mas quando os amigos dela aparecem, se borra de medo.

Tyler se limitou a observar os quatro.

— Bom, se não quer falar, acho que *eu* terei de fazer isso — disse Stefan. Ele se abaixou e pegou o livro grosso que tinha retirado da biblioteca. Com um pé na tampa da tumba, pousou o livro no joelho e o abriu. Neste momento, pensou Meredith, ele se parecia assustadoramente com Damon.

— Este é um livro de Gervase de Tilbury, Tyler — disse ele. — Foi escrito em 1210. Entre outras coisas, fala de lobisomens.

— Não pode provar nada! Não tem prova alguma...

— Cale-se, Tyler! — Stefan o encarou. — Não preciso provar. Eu posso *ver*, agora mesmo. Esqueceu o que eu sou? — Houve um silêncio, depois Stefan continuou. — Quando cheguei aqui há alguns dias, havia um mistério. Uma menina estava morta. Mas quem a matou? E por quê? Todas as pistas que eu podia ver eram contraditórias.

"Não foi um assassinato comum, nem era um psicopata humano solto nas ruas. Eu tinha a palavra de alguém em quem confiava — e outras provas também. Um assassino comum não pode operar uma tábua Ouija por telecinesia. Um assassino comum não pode provocar um curto nos fusíveis de uma estação de eletricidade a centenas de quilômetros.

"Não, era alguém com uma tremenda força física e paranormal. Pelo que Vickie me disse, parecia um vampiro.

"Só que Sue Carson ainda tinha sangue. Um vampiro teria sugado pelo menos parte dele. Nenhum vampiro resiste a isso, em especial um assassino. É de onde vem a euforia, e é este o motivo para matar. Mas o legista não encontrou perfurações nas veias, apenas algum sangramento. Não fazia sentido.

"E havia outra coisa. *Você* esteve naquela casa, Tyler. Cometeu o erro de segurar Bonnie naquela noite, depois cometeu o erro de falar demais no dia seguinte, dizendo coisas que só poderia saber se estivesse lá.

"E então, o que tínhamos? Um vampiro maduro, um assassino cruel com poderes inimagináveis? Ou um valentão da escola que mal consegue ir ao banheiro sozinho? Uma bruxa? As evidências apontavam para os dois lados e eu não conseguia entender.

"Depois fui ver eu mesmo o corpo de Sue. E lá estava, o maior mistério de todos. Um corte *aqui*." O dedo de Stefan desenhou uma linha fina a partir da clavícula. "Um corte típico e tradicional — feito por vampiros para partilhar seu sangue. Mas Sue *não era* vampira, e não fez ela mesma esse corte. Alguém fez isso enquanto ela estava prostrada no chão."

Meredith fechou os olhos e ouviu Bonnie ao lado engolir em seco. Estendeu a mão para encontrar a de Bonnie, apertando-a bem forte, mas continuou a ouvir. Antes, quando falou com elas, Stefan não havia chegado a esses detalhes.

— Os vampiros não precisam cortar suas vítimas desse jeito; eles usam os dentes — disse Stefan. Seu lábio superior se ergueu de leve, mostrando os próprios dentes. — Mas se um vampiro quisesse tirar sangue *para outra pessoa beber*, seria provável que desse um corte em vez de uma mordida. Se um vampiro quisesse dar um corte e só provar, ele poderia fazer isso.

"E *isso* me fez pensar no sangue. O sangue é importante. Para os vampiros, ele dá vida, Poder. É só do que precisamos para nossa sobrevivência, e há ocasiões em que a necessidade nos faz perder o controle. Mas é bom para outras coisas também. Por exemplo... para a iniciação.

"Iniciação e Poder. Pensei nessas duas coisas, colocando-as ao lado do que eu vira em *você*, Tyler, quando estive antes em Fell's Church. Mas me lembrei de uma coisa que Elena me contou sobre a história de sua família e decidi verificar no diário de Honoria Fell."

Stefan levantou uma folha de papel entre as páginas do livro que segurava.

— E lá estava, na letra de Honoria. Fiz uma cópia da página e posso ler para você. O segredinho da família Smallwood... Se puder ler nas entrelinhas.

Olhando o papel, ele leu:

— *12 de Novembro. Velas prontas, o linho cardado. Estamos com pouco milho e sal, mas conseguiremos atravessar o* inverno. *Na noite passada, um alarme: lobos atacaram Jacob Smallwood quando voltava da floresta. Tratei do ferimento com arando e casca de salgueiro, mas é profundo e estou temerosa. Depois de voltar para casa, lancei as runas. Só contei o resultado a Thomas.*

— Lançar as runas é divinatório — acrescentou Stefan, olhando para cima. — Honoria era o que chamamos de bruxa. Ela volta a falar de "problemas com lobos" em várias outras partes da colônia — parece que de repente houve ataques frequentes, em especial a jovens mulheres. Ela conta para o marido e ficam cada vez mais preocupados. E por fim, isto:

"*20 de dezembro. Novos problemas com lobos para os Smallwood. Ouvimos os gritos alguns minutos atrás e Thomas disse que chegara a hora. Fez os projéteis ontem. Carregou o rifle e vamos usá-los. Se formos poupados, escreverei novamente.*

"*21 de dezembro. Fomos à casa dos Smallwood na noite passada. Jacob gravemente ferido. O lobo morto.*

"*Enterraremos Jacob no pequeno cemitério ao pé da colina. Que sua alma encontre a paz na morte.*"

"Na história oficial de Fell's Church", disse Stefan, "interpretaram que Thomas Fell e sua esposa foram à casa dos Smallwood e encontraram Jacob Smallwood sendo atacado por um lobo novamente, e que o lobo o matou. Mas isto é um equívoco. O que realmente diz *não* é que o lobo matou Jacob Smallwood, mas que Jacob Smallwood, *o lobo*, foi morto".

Stefan fechou o livro.

— Ele era um lobisomem, o avô de seu tatatataravô, Tyler. Ele ficou assim por ter sido ele mesmo atacado por um lobisomem. E passou o vírus de lobisomem para o filho, que nasceu oito meses e meio depois de ele morrer. Como seu pai passou a você.

— Eu sempre soube que havia alguma coisa em você, Tyler — disse Bonnie, e Meredith abriu os olhos. — Nunca soube bem o que era, mas no fundo alguma coisa me dizia que era algo a ser temido.

— A gente fazia piada disso — disse Meredith, a voz ainda rouca. — Sobre seu "magnetismo animal" e seus dentões brancos. Nunca imaginamos como estávamos perto da verdade.

— Às vezes os paranormais podem sentir esse tipo de coisa — concordou Stefan. — Às vezes até pessoas comuns podem. *Eu* devia ter visto, mas tinha outras preocupações. Ainda assim, não há desculpas. E evidentemente outra pessoa... o assassino espiritual... viu corretamente. Não foi, Tyler? Um homem de sobretudo o procurou. Ele era alto, de cabelo louro e olhos azuis, e fez algum acordo com você. Em troca de... *alguma coisa*... ele lhe mostrou como reclamar sua herança. Como se tornar um lobisomem de verdade.

"Porque, segundo Gervase de Tilbury", Stefan bateu o livro no joelho, "um lobisomem que não foi mordido precisa ser iniciado. Isso significa que você pode ter o vírus do lobisomem a vida toda mas jamais saber dele, porque não foi ativado. Gerações de Smallwood viveram e morreram, mas o vírus ficou latente porque eles não conheciam o segredo para despertá-lo. Mas o homem de sobretudo sabia. Ele sabia que você precisava matar e sentir o gosto de sangue fresco. Depois disso, na primeira lua cheia, você se transformaria". Stefan levantou a cabeça e Meredith acompanhou seu olhar até o disco branco no céu, a lua. Agora era clara e bidimensional, e não mais um globo vermelho e mórbido.

Uma expressão desconfiada passou pelas feições carnudas de Tyler, depois uma fúria renovada.

— Vocês me enganaram! Vocês planejaram isso!

— Muito esperto — disse Meredith, e Matt completou:

— Ah, não me diga.

Bonnie molhou o dedo e escreveu um número 1 imaginário num quadro invisível.

— Eu sabia que você não resistiria a seguir uma das meninas até aqui, se pensasse que ela estaria só — disse Stefan. — Achou que o cemitério era o lugar perfeito para matar; teria total privacidade. E eu sabia que você não resistiria a se gabar do que fez. Eu tinha esperanças de que você contasse mais a Meredith sobre o outro assassino, aquele que realmente atirou Sue pela janela, aquele que a cortou para você beber sangue fresco. O vampiro, Tyler. Quem é ele? Onde está escondido?

O rosto de Tyler passou de uma expressão de ódio venenoso para desprezo.

— Acha que vou lhe contar isso? Ele é meu amigo.

— Ele não é seu amigo, Tyler. Ele está usando você. É um assassino.

— Não se afunde ainda mais nessa, Tyler — acrescentou Matt.

— Você já fez muita besteira. Esta noite tentou matar Meredith. Logo não será capaz de voltar atrás, mesmo que queira. Seja inteligente e pare com isso agora. Diga o que sabe.

Tyler arreganhou os dentes.

— Não vou dizer *nada* a vocês. Como vão me obrigar a isso?

Os outros trocaram olhares. O ambiente mudou, ficou carregado de tensão enquanto todos se voltavam para Tyler.

— Você não entende mesmo, não é, Tyler? — disse Meredith em voz baixa. — Tyler, você ajudou a *matar* Sue. Ela morreu em um ritual obsceno para que você se transformasse nessa *coisa* que vimos. Você pretendia me matar, e Vickie e Bonnie também, tenho certeza disso. Acha que temos pena de você? Acha que o trouxemos aqui em cima para sermos piedosos com você?

Tyler ficou em silêncio. O desprezo sumia de seus lábios. Ele olhou de um rosto para outro.

Todos pareciam implacáveis. Até o rostinho de Bonnie era inflexível.

— Gervase de Tilbury fala numa coisa interessante — disse Stefan, quase satisfeito. — Há uma cura para os lobisomens, além da tradicional bala de prata. Escutem. — À luz da lua, ele leu o livro que apoiava em seu joelho. — *É comumente narrado e sustentado por sérios e dignos médicos que, se um de seus membros for decepado, um lobisomem certamente recuperará o corpo original*. Gervase conta então a história de Raimbaud de Auvergne, um lobisomem que foi curado quando um carpinteiro cortou uma de suas patas traseiras. É claro que deve ter sido uma dor indescritível, mas a história conta que Raimbaud agradeceu ao carpinteiro "por livrá-lo para sempre da forma amaldiçoada". — Stefan levantou a cabeça. — Agora, estou pensando que se Tyler não nos ajudar com as informações, o mínimo que podemos fazer é cuidar para que ele não saia por aí matando novamente. O que vocês acham?

Matt se pronunciou.

— Acho que é nosso dever curá-lo.

— Só precisamos eliminar um de seus membros — concordou Bonnie.

— Posso pensar num deles agora mesmo — disse Meredith à meia-voz.

Os olhos de Tyler começavam a se esbugalhar. Por baixo da terra e do sangue, sua cara normalmente vermelha ficara pálida.

— Vocês estão blefando!

— Me dê o machado, Matt — disse Stefan. — Meredith, tire um dos sapatos dele.

Tyler chutou quando ela obedeceu, mirando o rosto dela. Matt se aproximou e prendeu sua cabeça numa chave de braço.

— Não piore as coisas para si mesmo, Tyler.

O pé descalço que Meredith expôs era grande, a sola tão suada quanto as mãos de Tyler. Pelos ásperos brotavam dos dedos. Deu arrepios em Meredith.

— Vamos acabar logo com isso — disse ela.

— Vocês estão de sacanagem! — uivou Tyler, debatendo-se tanto que Bonnie teve de pegar a outra perna e se ajoelhar sobre ela. — Não podem fazer isso! Não podem!

— Mantenham-no imóvel — disse Stefan. Trabalhando juntos, eles esticaram Tyler, a cabeça presa no braço de Matt, as pernas abertas e presas pelas meninas. Certificando-se de que

Tyler não pudesse ver o que ele fazia, Stefan equilibrou um galho talvez de 5 centímetros de espessura na tampa da tumba. Ergueu o machado e o desceu com força, seccionando o galho em um só golpe.

— Está bem afiado — disse ele. — Meredith, enrole as pernas da calça para cima. Depois amarre uma corda pouco acima do tornozelo o mais apertado que puder, para fazer um torniquete. Não queremos que ele tenha uma hemorragia.

— Não pode fazer isso! — Tyler gritava. — *Não pode fazer issooooooo!*

— Grite o quanto quiser, Tyler. Aqui em cima, ninguém vai ouvir, não é mesmo? — disse Stefan.

— Você não é melhor do que eu! — Tyler gritava, cuspindo saliva. — Também é um assassino!

— Sei exatamente quem eu sou — disse Stefan. — Acredite, Tyler. Eu sei. Todos estão prontos? Que bom. Segurem-no; ele vai pular quando eu fizer isso.

Os gritos de Tyler já não eram mais palavras. Matt o segurava para que ele pudesse ver Stefan se ajoelhar e mirar, erguendo a lâmina do machado acima do tornozelo de Tyler para adquirir força e distância.

— Agora — disse Stefan, levantando alto o machado.

— *Não! Não!* Eu falo! Eu vou falar! — gritou Tyler.

Stefan olhou para ele.

— Tarde demais — disse ele, e desceu o machado.

Ele quicou no piso de pedra com um clangor e uma faísca, mas o barulho foi tragado pelos gritos de Tyler. Tyler pareceu levar vários minutos para perceber que a lâmina não tocara seu pé. Só parou para respirar quando ficou sufocado, e virou os olhos desvairados e esbugalhados para Stefan.

— Comece a falar — disse Stefan com a voz gélida e sem remorsos.

Pequenos gemidos saíram da garganta de Tyler e havia espuma em seus lábios.

— Não sei o nome dele — respondeu, ofegante. — Mas ele é como você disse. E tem razão; ele é um vampiro, cara! Eu o vi secar um cervo adulto enquanto ainda se debatia. Ele *mentiu* para mim — acrescentou Tyler, o gemido voltando aos poucos a sua voz. — Prometeu que eu seria mais forte que qualquer um, forte como ele. Disse que eu podia ter a garota que quisesse, do jeito que eu quisesse. O esquisitão desgraçado mentiu.

— Ele disse que você podia matar e se safar disso — disse Stefan.

— Disse que eu podia ficar com Caroline naquela noite. Ela nem merecia depois de ter me rejeitado daquela maneira. Eu queria que ela implorasse... mas ela conseguiu fugir da casa de algum jeito. Eu podia ter Caroline e Vickie, ele disse. Tudo o que ele queria era Bonnie e Meredith.

— Mas você acaba de tentar matar Meredith.

— Isso foi *agora*. Agora as coisas são diferentes, idiota. Ele disse que não tinha problema.

— Por quê? — Meredith perguntou a Stefan.

— Talvez porque você tenha servido aos propósitos dele — disse ele. — Você me trouxe aqui. — Depois ele continuou. — Muito bem, Tyler, mostre-nos que está cooperando. Conte como podemos pegar esse sujeito.

— *Pegar*? Vocês enlouqueceram! — Tyler começou a gargalhar de um jeito estranho e Matt estreitou o braço em seu pescoço. — Ei, pode me asfixiar, se quiser; não adianta, essa ainda vai ser a verdade. Ele me disse que é um dos Antigos, um dos Originais, sei lá o que isso quer dizer. Disse que transforma humanos em vampiros desde antes das pirâmides. Disse que fez um pacto com o diabo. Você pode enfiar uma estaca no coração dele e não vai acontecer *nada*. Não pode matá-lo. — Riu de forma descontrolada.

— Onde ele está escondido, Tyler? — perguntou Stefan, sério. — Todo vampiro precisa de um lugar para dormir. Onde fica?

— Ele vai me matar se eu contar isso. Ele vai me *comer vivo*, cara. Meu Deus, se eu contar o que ele fez com aquele cervo antes de ele morrer... — O riso de Tyler se transformava em algo parecido com um pranto.

— Então é melhor nos ajudar a destruí-lo antes que ele o ache, não é? Qual é o ponto fraco dele? Como ele é vulnerável?

— Meu Deus, coitado daquele cervo... — Tyler balbuciava.

— E Sue? Não vai chorar por *ela*? — disse Stefan incisivamente. Ele pegou o machado. — Acho — disse ele — que está desperdiçando nosso tempo.

O machado se ergueu.

— Não! Não! Vou contar a vocês; vou contar uma coisa. Olha, tem um tipo de madeira que pode machucá-lo... Não o mata, mas machuca. Ele admitiu isso, mas não me disse qual era! Eu juro que é a verdade!

— Não basta, Tyler — disse Stefan.

— Pelo amor de Deus... Eu vou contar onde ele está esta noite. Se vocês forem rápidos, talvez possam impedi-lo.

— Como assim, onde ele está esta noite? Fale logo, Tyler!

— Ele vai na casa da Vickie, tá legal? Disse que hoje à noite cada um teria a sua. Isso ajuda, né? Se vocês correrem, talvez consigam chegar lá a tempo!

Stefan ficou paralisado e Meredith sentiu o coração disparar. Vickie. Eles nem tinham pensado num ataque a Vickie.

— Damon a está protegendo — disse Matt. — Não é Stefan? Não é?

— Deveria estar — disse Stefan. — Eu o deixei lá ao anoitecer. Se alguma coisa acontecesse, ele teria me chamado...

— Ah, vocês... — sussurrou Bonnie. Seus olhos estavam arregalados e os lábios tremiam. — Acho melhor irmos lá *agora*.

Eles a olharam por um momento, mas logo todos estavam em movimento. O machado tiniu no chão quando Stefan o largou.

— Ei, não podem me deixar assim! Eu não posso dirigir! Ele vai voltar para me pegar! Voltem aqui e desamarrem minhas mãos! — Tyler berrava. Nenhum deles respondeu.

Eles desceram toda a colina correndo e se amontoaram no carro de Meredith. Meredith partiu a toda, virando esquinas perigosamente rápido e ultrapassando sinais vermelhos, mas havia uma parte dela que não queria chegar à casa de Vickie. Que queria dar a volta e ir para outro lado.

Estou calma; sempre sou a que fica calma, pensou ela. Mas isso era por fora. Meredith sabia muito bem como aparentar calma quando tudo desmoronava por dentro.

Eles viraram a última esquina, entrando na Birch Street, e Meredith pisou no freio.

— Ah, meu Deus! — Bonnie gritou do banco traseiro. — Não! Não!

— Rápido! — disse Stefan. — Ainda pode haver uma chance. — Ele abriu a porta num rompante e estava na rua antes que o carro tivesse parado. Mas na traseira, Bonnie chorava.

11

O carro parou numa derrapada atrás de uma das viaturas policiais que estavam atravessadas na rua. Havia luzes em toda parte, luzes piscando azuis, vermelhas e âmbar, luzes fortes na casa dos Bennett.

— Fique aqui — disse Matt e saltou para fora, seguindo Stefan.

— Não! — A cabeça de Bonnie se levantou de repente; ela queria pegá-lo e arrastá-lo de volta. A náusea vertiginosa que sentia desde que Tyler falou em Vickie agora a dominava. Era tarde demais; ela sabia, logo de cara, que era tarde demais. Matt só ia acabar morto também.

— Você fica, Bonnie... Mantenha as portas trancadas. Vou atrás deles — disse Meredith.

— Não! Estou cheia de todo mundo me dizer para *ficar*! — gritou Bonnie, lutando com o cinto de segurança, finalmente conseguindo abri-lo. Ainda chorava, mas enxergava o suficiente para sair do carro e partir para a casa de Vickie. Podia ouvir os passos de Meredith bem atrás dela.

A atividade parecia se concentrar na frente; pessoas gritando, uma mulher aos berros, as vozes com estática dos rádios da polícia. Bonnie e Meredith foram direto para os fundos, para a janela de Vickie. O que havia de errado naquele cenário?, pensou Bonnie, desesperada, ao se aproximarem. A estranheza era inegável, mas difícil de situar. A janela de Vickie estava aberta — mas *não podia* estar aberta; a vidraça do meio de uma janela de nicho nunca se abre, pensou Bonnie. Mas como as cortinas podiam estar adejando como uma fralda de camisa?

Não estava aberta, estava quebrada. Havia vidro em todo o caminho de cascalho, rangendo sob os pés. Havia cacos que pareciam dentes sorridentes nos caixilhos. A casa de Vickie tinha sido arrombada.

— Ela o convidou a *entrar* — gritou Bonnie numa fúria agoniada. — Por que ela *fez* isso? Por quê?

— Fique aqui — disse Meredith, tentando umedecer os lábios secos.

— *Pare de me dizer isso.* Eu aguento, Meredith. Estou *irritada*, é só isso. Eu o *odeio*. — Ela pegou o braço de Meredith e avançou.

O buraco estava cada vez mais perto. As cortinas tremulavam. Havia espaço suficiente entre elas para ver o interior.

No último minuto, Meredith empurrou Bonnie de lado e olhou primeiro. Não importava. Os sentidos paranormais de Bonnie estavam despertos e já lhe falavam deste lugar. Era como a cratera que fica no chão depois que o meteoro a atinge e explode, ou como o esqueleto carbonizado de uma floresta depois de um incêndio. Poder e violência ainda vibravam no ar, mas o evento principal já havia acabado. Este lugar fora violado.

Meredith se afastou da janela, curvando-se, com ânsia de vômito. Cerrando os punhos com tanta força que as unhas machucaram as palmas das mãos, Bonnie avançou e olhou para dentro.

Foi atingida primeiro pelo cheiro. Um cheiro úmido, de carne e cobre. Ela quase podia sentir o gosto, e tinha gosto de língua mordida por acidente. O aparelho de som tocava alguma coisa que ela não conseguia identificar com a gritaria na frente e o bater surdo nos próprios ouvidos. Seus olhos, adaptando-se da escuridão do lado de fora, só conseguiam enxergar vermelho. Só vermelho.

Porque essa era a nova cor do quarto de Vickie. O azul-claro se fora. Papel de parede vermelho, edredom vermelho. Vermelho em grandes borrifos berrantes pelo chão. Como se uma criança tivesse brincado com um balde de tinta vermelha sem supervisão.

O aparelho de som estalou e a música voltou ao início. Com um choque, Bonnie a reconheceu enquanto recomeçava.

Era "Goodnight Sweetheart".

— Seu monstro — disse Bonnie, ofegante. A dor atingiu o estômago dela em cheio. Sua mão se segurou no parapeito, com uma força cada vez maior. — Seu monstro, eu te *odeio*! Eu te odeio!

Meredith ouviu e endireitou o corpo, virando-se. Trêmula, empurrou o cabelo para trás e conseguiu respirar fundo algumas vezes, tentando dar a impressão de que estava controlada.

— Você está cortando a mão — disse ela. — Deixe-me ver.

Bonnie nem tinha percebido que se agarrava ao vidro quebrado. Deixou que Meredith pegasse a mão, mas em vez de permitir que a examinasse, girou-a e segurou com força a mão de Meredith. Meredith estava péssima: os olhos escuros vidrados, os lábios branco-azulados e tremendo. Mas ainda assim Meredith tentava cuidar dela, ainda tentava controlar a situação.

— Anda — disse ela, olhando atentamente a amiga. — Chora, Meredith. Grita, se quiser. Mas faça alguma coisa. Não precisa ser fria agora e guardar tudo isso. Tem todo o direito de perder o controle hoje.

Por um momento Meredith ficou apenas parada ali, tremendo, mas depois balançou a cabeça numa tentativa de sorriso.

— Não posso. Simplesmente não sou assim. Vamos, deixa eu olhar sua mão.

Bonnie podia ter discutido, mas Matt apareceu, pelo canto da casa. Disparou naquela direção ao ver as meninas paradas ali.

— O que estão fazendo...? — começou ele. Depois viu a janela.

— Ela está morta — disse Meredith sem rodeios.

— Eu sei. — Matt parecia uma fotografia ruim dele mesmo, uma foto que foi exposta demais. — Me disseram lá na frente. Eles estão tirando... — ele parou.

— Estragamos tudo. Mesmo depois de prometermos a ela... — Meredith parou também. Não havia mais nada a dizer.

— Mas a polícia terá de acreditar na gente — disse Bonnie, olhando para Matt, depois para Meredith, encontrando um motivo para ficar agradecida. — Eles *vão ter* que ouvir.

— Não — disse Matt —, não vão, Bonnie, porque estão dizendo que foi suicídio.

— *Suicídio?* Mas eles viram o quarto? Eles chamam *isso* de suicídio? — exclamou Bonnie, a voz se elevando.

— Estão dizendo que ela era mentalmente desequilibrada. Dizem que ela... pegou uma tesoura...

— Ai, meu Deus — disse Meredith, dando as costas.

— Eles acham que ela devia estar se sentindo culpada por ter matado a Sue.

— Alguém invadiu a casa — disse Bonnie com violência. — Eles têm de admitir isso!

— Não. — A voz de Meredith era branda, como se ela estivesse muito cansada. — Observe aqui, a janela. Tem vidro por todo lado. Alguém o quebrou de dentro para fora.

E isso era o que havia de errado com o ambiente, pensou Bonnie.

— *Ele* deve ter feito isso, ao sair — disse Matt. Eles se olharam em silêncio, derrotados.

— Cadê o Stefan? — perguntou Meredith a Matt baixinho. — Ele está na frente, onde todo mundo pode ver?

— Não, depois que descobrimos que ela estava morta, ele veio por aqui. Eu vim atrás dele. Deve estar aqui em algum lugar...

— Shhhh! — disse Bonnie. Os gritos da frente tinham parado. A mulher que antes berrava, também. Na quietude relativa, eles ouviram uma voz fraca atrás das nogueiras no quintal.

— ... enquanto *você* a devia estar vigiando!

O tom fez a pele de Bonnie se arrepiar.

— É ele! — disse Matt. — E está com Damon. Vamos!

Depois que chegaram às árvores, Bonnie podia ouvir a voz de Stefan com clareza. Os dois irmãos estavam de frente um para o outro sob a luz da lua.

— Eu confiei em você, Damon. Eu confiei em você! — dizia Stefan. Bonnie nunca o vira com tanta raiva, nem mesmo com Tyler, no cemitério. Mas era mais do que raiva.

— E você deixou que isso acontecesse — continuou Stefan, sem olhar para Bonnie e os outros, que se aproximavam, sem dar a Damon a oportunidade de responder. — Por que não fez *alguma coisa*? Se você era covarde demais para lutar com ele, podia pelo menos ter me chamado. Mas só ficou parado aqui!

O rosto de Damon era duro e sério. Seus olhos escuros cintilavam e sua postura não trazia a preguiça ou a despreocupação de costume. Ele parecia rígido e frágil como uma chapa de vidro. Abriu a boca, mas Stefan o interrompeu.

— A culpa é minha. Eu devia saber muito bem. Eu *devia* saber. Todos *eles* sabem; e me avisaram, mas não dei ouvidos.

— Ah, *eles* sabem? — Damon olhou de lado para Bonnie. Um arrepio a tomou.

— Stefan, espere — disse Matt. — Eu acho...

— Eu devia ter ouvido! — Agora Stefan estava furioso. Nem pareceu ouvir Matt. — Eu mesmo devia ter ficado aqui. Prometi a ela que ficaria em segurança... E menti! Ela morreu pensando que eu a traí. — Bonnie podia ver agora em seu rosto, a culpa o devorando por dentro, como ácido. — Se eu tivesse ficado aqui...

— Também estaria morto! — sibilou Damon. — Não está lidando com um vampiro comum. Ele teria partido você em dois como um galho seco...

— *E teria sido melhor assim!* — exclamou Stefan. Seu peito subia e descia. — Seria melhor morrer com ela do que ficar parado olhando! O que houve, Damon? — Ele agora estava mais controlado, estava calmo, calmo demais; seus olhos verdes ardiam, febris no rosto pálido, a voz cruel e cheia de veneno. — Estava ocupado demais perseguindo outra menina pelos arbustos? Ou desinteressado demais para interferir?

Damon não disse nada. Estava tão pálido quanto o irmão, cada músculo tenso e rígido. Uma onda sombria de fúria emanava dele enquanto olhava o irmão.

— Ou talvez tenha gostado — continuava Stefan, aproximando-se outro meio passo, para se colocar bem diante do rosto de Damon. — Sim, deve ter sido isso; você gostou de ficar com outro assassino. Foi bom, Damon? Ele deixou você olhar?

O punho de Damon recuou e atingiu Stefan.

Aconteceu rápido demais para os olhos de Bonnie acompanharem. Stefan caiu de costas no chão macio, as pernas compridas se esparramando. Meredith gritou alguma coisa e Matt pulou na frente de Damon.

Corajoso, pensou Bonnie meio tonta, mas burro. O ar estalava de eletricidade. Stefan levou a mão à boca e encontrou sangue, preto na luz da lua. Bonnie partiu para o lado dele e o segurou pelo braço.

Damon ia partir para cima dele de novo. Matt se atirou na frente dele e caiu, mas não completamente. Ficou de joelhos ao lado de Stefan, apoiando-se nos calcanhares, uma das mãos erguidas.

— Chega, vocês dois! Chega, está bem? — gritou ele.

Stefan tentava se levantar. Bonnie segurou seu braço com mais firmeza.

— Não! Stefan, não! Não! — implorava ela. Meredith segurou o outro braço.

— Damon, deixe isso pra lá! Deixe pra lá! — pedia Matt, sério.

Estamos todos envolvidos, nos intrometendo nisso, pensou Bonnie. Tentando evitar uma briga entre dois vampiros furiosos. Eles vão nos matar só para calar a nossa boca. Damon vai esmagar Matt como se fosse uma mosca.

Mas Damon parou, com Matt bloqueando seu caminho. Por um bom tempo, a cena continuou paralisada, ninguém se mexia, todos rígidos de tensão. Depois, lentamente, a postura de Damon relaxou.

Suas mãos baixaram e ele descerrou os punhos. Respirou devagar. Bonnie percebeu que também prendia a respiração e tentava relaxar.

A expressão de Damon era fria, como uma estátua de gelo.

— Muito bem, como você quiser — disse ele, e sua voz era fria também. — Mas estou farto daqui. Vou embora. E desta vez, *irmão*, se me seguir, eu o matarei. Com ou sem promessas.

— Não vou segui-lo — disse Stefan de onde estava sentado. Sua voz dava a impressão de que ele engolia vidro moído.

Damon fechou a jaqueta, endireitando-a. Com um olhar de relance para Bonnie, ele se virou para partir. Em seguida deu meia-volta e falou com clareza e exatidão, cada palavra uma flecha que disparava na direção de Stefan.

— Eu o avisei — disse Damon. — Sobre quem sou, sobre que lado venceria. Devia ter ouvido *a mim*, irmãozinho. Talvez aprenda alguma coisa esta noite.

— Aprendi o quanto custa confiar em você — disse Stefan.
— Saia daqui, Damon. Nunca mais quero ver você.

Sem dizer mais nada, Damon deu as costas a eles e se afastou no escuro.

Bonnie soltou o braço de Stefan e pôs a cabeça entre as mãos.

Stefan se levantou, sacudindo-se como um gato que ficou preso contra a própria vontade. Afastou-se um pouco dos outros, sem olhar para eles. Depois simplesmente ficou ali. A raiva parecia deixá-lo com a mesma rapidez com que chegou.

O que vamos dizer agora?, perguntava-se Bonnie, olhando para cima. O que *podemos* dizer? Stefan tinha razão numa coisa: eles o alertaram sobre Damon e ele não deu ouvidos. Ele verdadeiramente parecia acreditar que o irmão merecia confiança. E depois todos ficaram vulneráveis, dependendo de Damon, porque era fácil e porque precisavam de ajuda. Ninguém questionou o fato de Damon vigiar Vickie esta noite.

Todos podiam ser culpados. Mas era Stefan quem iria se dilacerar de culpa por tudo aquilo. Ela sabia o que havia por trás da fúria descontrolada de Damon: a própria vergonha e remorso. Ela se perguntou se Damon sabia disso, ou se ele se importava. E ela se perguntou o que realmente aconteceu esta noite. Agora que Damon foi embora, eles talvez jamais viessem a saber.

Mas não importava, pensou ela, *era melhor que ele fosse embora.*

Na rua, os ruídos se reafirmavam: carros dando a partida, a explosão curta de uma sirene, portas batendo. Eles estavam seguros entre as árvores, mas não podiam ficar ali.

Meredith estava com a mão na testa, de olhos fechados. Bonnie olhou dela para Stefan, para as luzes na casa silenciosa de Vickie, além da vegetação. Uma onda de exaustão atravessou seu corpo. Toda a adrenalina que a sustentou esta noite agora parecia ter esgotado. Ela nem conseguia mais sentir raiva pela morte de Vickie; só depressão e náusea, e um cansaço muito, muito grande. Ela queria poder se arrastar para a cama em casa e puxar o cobertor até a cabeça.

— Tyler — disse ela em voz alta. E quando todos se viraram, continuou: — Nós o deixamos na igreja em ruínas. E ele agora é nossa última esperança. Temos que convencê-lo a nos ajudar.

Isso animou a todos. Stefan virou-se em silêncio, sem falar nada nem olhar ninguém nos olhos, seguindo-os para a rua. As viaturas e ambulâncias tinham partido e eles seguiram sem incidentes de carro para o cemitério.

Mas, ao chegarem à igreja em ruínas, Tyler não estava lá.

— Nós o deixamos desamarrado — disse Matt com a voz embargada e uma careta de repulsa por si mesmo. — Ele deve ter ido a pé, porque o carro dele ainda está ali.

Ou pode ter sido pego, pensou Bonnie. Não havia marca no piso de pedra para mostrar o que tinha acontecido.

Meredith foi até a parede baixa e se sentou, os dedos beliscando a ponta do nariz.

Bonnie se encostou no campanário.

Eles foram um completo fracasso. Esta era a síntese desta noite. Eles perderam e *ele* venceu. Tudo que fizeram hoje terminou em derrota.

E Stefan, ela sabia, carregava toda a responsabilidade em seus ombros.

Ela olhou a cabeça morena e tombada no banco da frente enquanto eles voltavam de carro ao pensionato. Outro pensamento ocorreu a Bonnie, um pensamento que provocou arrepios de alarme por seus nervos. Agora que Damon tinha ido embora, eles só podiam contar com a proteção de Stefan. E se o próprio Stefan estivesse fraco e exaurido...

Bonnie mordeu o lábio enquanto Meredith estacionava perto do celeiro. Uma ideia se formava em sua mente. Deixou-a inquieta, até assustada, mas outro olhar para Stefan a fez decidir.

A Ferrari ainda estava estacionada atrás do celeiro — ao que parecia, Damon a abandonara. Bonnie se perguntou como ele pretendia atravessar o país, mas logo lembrou-se das asas. Macias como veludo, asas pretas e fortes de corvo que refletiam o arco-íris em suas penas. Damon não precisava de um carro.

Eles entraram no pensionato por tempo suficiente para Bonnie telefonar para os pais e dizer que ia passar a noite na casa de Meredith. Isto foi ideia dela. Mas depois que Stefan subiu a escada para seu quarto no sótão, Bonnie parou Matt na varanda da frente.

— Matt? Posso te pedir um favor?

Ele girou, os olhos azuis arregalados.

— Esta é uma pergunta cheia de significado. Sempre que Elena dizia exatamente estas palavras...

— Não, não, não é nada terrível. Só quero que cuide de Meredith, veja se ela está bem depois que chegar em casa e essas coisas. — Ela indicou a amiga, que já voltava para o carro.

— Mas você vem com a gente.

Bonnie olhou a escada através da porta aberta.

— Não, acho que vou ficar uns minutos. Stefan pode me levar para casa. Só quero conversar uma coisa com ele.

Matt ficou confuso.

— Conversar o que com ele?

— É só uma coisa. Não posso explicar agora. Você pode, Matt?

— Mas... Ah, tudo bem. Estou cansado demais para me importar. Como você quiser. A gente se vê amanhã. — Ele se afastou, parecendo desnorteado e meio irritado.

A própria Bonnie ficou confusa com a atitude dele. Por que ele *devia* se importar, com ou sem cansaço, se ela ia conversar com Stefan? Mas não havia tempo a perder pensando nisso. Ela se virou para a escada e, endireitando os ombros, subiu.

A lâmpada do teto do sótão não estava ali e Stefan tinha acendido uma vela. Estava deitado de qualquer jeito na cama, uma perna para fora, os olhos fechados. Talvez dormindo. Bonnie entrou de mansinho e criou coragem, respirando fundo.

— Stefan?

Os olhos dele se abriram.

— Pensei que tivesse ido embora.

— Eles foram. Eu não. — Meu Deus, como ele está pálido, pensou Bonnie. Por impulso, ela foi direto ao assunto. — Stefan, eu estive pensando. Agora que Damon foi embora, você é a única coisa entre nós e o assassino. Isso quer dizer que você precisa estar forte, o mais forte possível. E, bom, me ocorreu que talvez... Sabe como é... Você possa precisar... — Sua voz falhou. Inconscientemente, ela começou a mexer no maço de lenços de papel que formavam uma atadura improvisada na palma da mão. Ainda sangrava lentamente do corte que teve no vidro.

O olhar de Stefan acompanhou o dela. Depois os olhos de Stefan se ergueram rapidamente para seu rosto, lendo a confirmação ali. Fez-se um longo silêncio.

Ele sacudiu a cabeça, em negação.

— Mas por quê? Stefan, não quero me intrometer na sua vida, mas francamente, você não parece nada bem. Não será de muita ajuda para alguém se desabar. E... eu não ligo se você só tomar um pouco. Quer dizer, nem vou sentir falta, né? E não pode doer tanto assim. E... — De novo, sua voz falhou. Ele se limitava a olhar para ela, o que era desconcertante. — Bom, por que *não*? — perguntou ela, sentindo-se meio rejeitada.

— Porque — disse ele suavemente — eu fiz uma promessa. Talvez não com tantas palavras, mas... foi uma promessa, mesmo assim. Não me alimentarei de sangue humano, porque isso significa *usar* uma pessoa como gado. E não vou trocar sangue com ninguém, porque isso significa amor, e... — Desta vez foi Stefan que não conseguiu concluir. Mas Bonnie entendeu.

— Nunca mais haverá outra, não é? — disse ela.

— Não. Não para mim. — Stefan estava tão cansado que seu controle se esvaía e Bonnie podia ver isso por trás da máscara. E de novo viu a dor e a carência, tão grandes que teve de desviar os olhos dele.

Um friozinho estranho de premonição e desânimo perfurou seu coração. Antes, ela se perguntara se Matt um dia superaria Elena, e ele superou, ao que parecia. Mas Stefan...

Stefan, percebeu Bonnie, o arrepio se aprofundando, era diferente. Por mais que o tempo passasse, independentemente do que ele fizesse, jamais seria o mesmo novamente. Sem Elena, ele sempre viveria pela metade, seria meio vivo.

Ela precisava pensar em alguma coisa, fazer alguma coisa, para afastar essa sensação de pavor. Stefan precisava de Elena; não podia ser inteiro sem ela. Esta noite ele começou a falhar, oscilando perigosamente entre o controle rígido e a fúria violenta. Se ele pudesse ver Elena só por um minuto e falar com ela...

Ela subiu ao sótão para dar a Stefan um presente que ele não queria. Mas havia outra coisa que ele queria, percebeu Bonnie, e só ela tinha o poder de dar isso a ele.

Sem olhar para Stefan, com a voz rouca, ela perguntou:

— Gostaria de ver Elena?

Silêncio mortal na cama. Bonnie se sentou, observando as sombras no quarto oscilarem. Por fim, ela se arriscou a olhar para ele pelo canto do olho.

Ele respirava com dificuldade, de olhos fechados, o corpo tenso como um arco. Bonnie diagnosticou que ele tentava reunir forças para resistir à tentação.

E perdia. Bonnie viu isso.

Elena sempre foi demais para ele.

Quando os olhos de Stefan encontraram os dela de novo, pareciam melancólicos e sua boca era uma linha firme. A pele não estava mais pálida, mas corada. Seu corpo ainda estava trêmulo e tenso, e nervoso de expectativa.

— Você pode se machucar, Bonnie.

— Eu sei.

— Pode se abrir a forças que estão além de seu controle. Não posso garantir que consigo protegê-la delas.

— Eu sei. Como quer fazer isso?

Ele pegou a mão dela com firmeza e intensidade.

— Obrigado, Bonnie — sussurrou ele.

Ela sentiu o sangue subir ao rosto.

— Está tudo bem — disse ela. Meu *Deus*, ele era lindo. Aqueles olhos... Num minuto ela ou ia pular em cima dele, ou derreter numa poça naquela cama. Com uma sensação ao mesmo tempo agradável e agoniada por sua virtude, ela puxou a mão e se virou para a vela.

— E se eu entrar em transe e tentar contato com ela, e depois que fizer contato tentar encontrar você e o atrair? Acha que pode dar certo?

— Pode, se eu entrar em contato com você também — disse ele, desviando aquela intensidade de Bonnie e concentrando-

-se na vela. — Posso tocar sua mente... Quando estiver pronta, eu a sentirei.

— Tudo bem. — A vela era branca, as laterais de cera lisas e reluzentes. A chama aumentou e reduziu. Bonnie a olhou até se perder nela, até que o resto do quarto escurecesse. Só havia a chama, ela mesma e a chama. Ela entrava na chama.

Um clarão insuportável a cercou. E ela desmaiou no escuro.

A casa funerária era fria. Inquieta, Bonnie olhou o ambiente, perguntando-se como tinha chegado lá, tentando raciocinar. Estava inteiramente só e por algum motivo isso a incomodava. Não devia haver mais alguém ali? Ela procurava por alguém.

Havia luz no cômodo seguinte. Bonnie foi para lá e seu coração começou a bater mais rápido. Era uma sala de estar e estava cheia de candelabros, as velas brancas cintilando e tremendo. No meio havia um caixão branco com a tampa aberta.

Passo a passo, como se alguma coisa a empurrasse, Bonnie foi se aproximando do caixão. Não queria olhar dentro dele. Mas tinha de olhar. Havia alguma coisa naquele caixão esperando por ela.

Todo o ambiente estava envolto pela luz branca e suave das velas. Era como flutuar em uma ilha de energia radiante. Mas ela não queria olhar...

Andando como se estivesse em câmera lenta, ela chegou ao caixão, observando o forro de cetim branco. Estava vazio.

Bonnie fechou a tampa e se encostou ali, suspirando.

Depois percebeu um movimento em sua visão periférica e girou o corpo.

Era Elena.

— Ah, meu Deus, você me assustou — disse Bonnie.

— Pensei ter dito a você para não vir aqui — respondeu Elena.

Desta vez o cabelo dela estava solto, flutuando sobre os ombros e caindo nas costas, o dourado claro de uma chama. Estava com um vestido branco e fino que refletia suavemente a luz das velas. Parecia ela mesma uma vela, luminosa, radiante. Seus pés estavam descalços.

— Eu vim aqui para... — Bonnie se atrapalhou, algo estava insistentemente perturbando sua mente. Era o sonho *dela*, o transe dela. Ela precisava se lembrar. — Vim aqui para que você veja Stefan — disse.

Os olhos de Elena se arregalaram, os lábios se separando. Bonnie reconheceu a expressão de desejo, de anseio quase irresistível. Há menos de 15 minutos vira a mesma expressão em Stefan.

— Oh — sussurrou Elena. Ela engoliu em seco, os olhos se toldando. — Ah, Bonnie... Mas *eu não posso*.

— E por que não?

Agora as lágrimas rolavam dos olhos de Elena e seus lábios tremiam.

— E se as coisas começarem a mudar? E se *ele* vier e... — Ela pôs a mão na boca e Bonnie se lembrou do último sonho, os dentes dela caindo como gotas de chuva. Bonnie olhou Elena nos olhos com um pavor compreensível.

— Não entende? Eu não suportaria se alguma coisa assim acontecesse — sussurrou Elena. — Se ele me visse assim... E não posso controlar as coisas aqui; não sou forte o bastante para isso. Bonnie, por favor, não deixe Stefan entrar. Diga a ele o quanto eu lamento. Diga a ele... — Ela fechou os olhos, as lágrimas cobrindo seu rosto.

— Tudo bem. — Bonnie teve vontade de chorar também, mas Elena tinha razão. Ela tentou localizar Stefan telepaticamente para explicar a ele, para ajudá-lo a suportar a decepção. Mas, no instante em que pensou nele, Bonnie entendeu que tinha cometido um erro.

— Stefan, não! Elena disse... — Não importava. A mente de Stefan era mais forte e, no instante em que ela fez contato, ele a dominou. Ele sentiu a essência de sua conversa com Elena, mas não ia aceitar aquela resposta. Impotente, Bonnie se sentiu dominada, sentiu a mente de Stefan cada vez mais perto, mais próxima do círculo de luz formado pelos candelabros. Sentiu a presença dele ali, sentiu que sua forma estava se estabelecendo. Virou-se e o viu, o cabelo preto, o rosto tenso, os olhos verdes penetrantes como os de um falcão. E então, sabendo que não havia mais nada a fazer, ela recuou para que os dois ficassem a sós.

12

Stefan ouviu um sussurro suave de dor.

— Oh, não.

Uma voz que ele nunca pensou que voltaria a ouvir, que ele jamais esqueceria. Uma sequência de arrepios tomaram sua pele e, em seu íntimo, podia sentir o começo de um tremor. Ele se virou na direção da voz, a atenção fixa de imediato, a mente quase se desligando porque não podia lidar com tantas emoções súbitas e fortes ao mesmo tempo.

Seus olhos estavam embaçados e só conseguiram discernir um banho de luz, como de mil velas. Mas não importava. Ele podia *sentir* a presença dela. A mesma presença que sentira no dia em que chegou a Fell's Church, um clarão dourado e claro que brilhava em sua consciência. Um turbilhão de uma beleza fria, paixão ardente, vibração e vida. Exigindo que ele se aproximasse, que ele se esquecesse de todo o resto.

Elena. Era verdadeiramente Elena.

A presença de Elena o impregnou, tomando-o até a ponta dos dedos. Todos os sentidos em alerta, fixos naquele banho de luz, procurando por ela. Precisando dela.

E então ela avançou.

Ela se movia lentamente, hesitante. Como se mal conseguisse ou soubesse andar. Stefan foi preso pela mesma paralisia.

Elena.

Ele reparou em cada traço dela como se fosse a primeira vez. O cabelo dourado-claro flutuando no rosto e nos ombros como um halo. A pele branca e impecável. O corpo magro e flexível que agora o evitava, a mão erguida em protesto.

— Stefan. — Veio o sussurro, e era a voz *de Elena*. A voz dela dizendo o nome dele. Mas a dor que havia ali impelia Stefan a correr até Elena, abraçá-la, prometer que tudo ia ficar bem. — Stefan, por favor... Eu *não posso*...

Ele agora podia ver os olhos de Elena. O azul-escuro como lápis-lazúli, pontilhado de ouro na luz. Arregalados de dor e imersos em lágrimas não derramadas. Retalhou-o por dentro.

— Não quer me ver? — A voz dele era seca como poeira.

— Não quero que *você me* veja. Ah, Stefan, ele pode fazer qualquer coisa acontecer. E ele vai nos descobrir. Ele virá aqui...

O alívio e uma alegria dolorosa inundaram Stefan. Ele mal conseguia se concentrar nas palavras dela, e isso não importava. Bastava o modo como Elena dizia seu nome. Aquele "ah, Stefan" era tudo o que ele queria, e precisava, ouvir.

Ele se aproximou em silêncio, a mão estendendo-se para a dela. Viu sua cabeça balançar em protesto, viu que seus lábios estavam separados devido à respiração acelerada. De perto, sua pele tinha um brilho que vinha de dentro, como uma chama reluzindo através da cera transparente de uma vela. Pequenas lágrimas se prendiam aos seus cílios, como diamantes.

Embora ela balançasse a cabeça, ainda protestando, não recolheu a mão. Nem mesmo quando os dedos estendidos de Stefan a tocaram, apertando as pontas frias dos dedos de Elena como se estivessem em lados opostos de uma vidraça.

E, a essa distância, os olhos dela não fugiram dos dele. Eles se olhavam, fixamente, e não se desviaram. Até que, por fim, ela parou de sussurrar "Stefan, não" e só sussurrou o nome dele.

Ele não conseguia pensar. O coração ameaçava saltar do peito. Nada mais importava, apenas que ela estava ali, que ali eles estavam juntos. Ele não percebeu o ambiente estranho, não se importou com quem poderia estar olhando.

Lentamente, bem devagar, ele fechou a mão na dela, entrelaçando os dedos, como deviam ficar. A outra mão de Stefan se ergueu até o rosto de Elena.

Os olhos dela se fecharam ao toque, o rosto se inclinando para ele. Stefan sentiu a umidade em seus dedos e um riso ficou preso na garganta. Lágrimas de sonho. Mas eram reais, *ela* era real. Elena.

A doçura o penetrou. Um prazer tão agudo que era uma dor, só de retirar as lágrimas do rosto dela com seu polegar.

Toda a ternura frustrada dos últimos seis meses, toda a emoção que ele manteve presa no coração por tanto tempo saíram de uma vez, submergindo-o. Afogando os dois. Bastou um movimento mínimo e ele a abraçava.

Um anjo em seus braços, frio e eletrizado de vida e beleza. Um ser de chama e ar. Ela tremia em seu abraço; depois, de olhos ainda fechados, ergueu os lábios.

Não havia frieza alguma naquele beijo. Provocou faíscas em Stefan, derretendo e dissolvendo tudo o que havia em volta. Ele sentiu seu controle se desfazer, o controle que se esforçava tanto para manter desde que a perdera. Tudo dentro dele se abalava e se soltava, todos os nós desatados, todas as comportas abertas. Ele podia sentir as próprias lágrimas ao abraçá-la, tentando fundi-los numa só carne, num só corpo. Para que nada pudesse separá-los novamente.

Os dois choravam sem interromper o beijo. Agora os braços magros de Elena estavam em seu pescoço, cada centímetro dela se encaixando nele como se não pertencesse a nada mais. Ele sentia o sal de suas lágrimas nos lábios e mais uma vez a doçura o inundou.

Ele sabia, vagamente, que havia mais alguma coisa em que devia estar pensando. Mas o primeiro toque eletrizante da pele fria de Elena lhe tirara a razão. Eles estavam no meio de um redemoinho de fogo; o universo podia explodir, esfarelar-se ou arder até as cinzas, desde que ele pudesse mantê-la segura.

Mas Elena tremia.

Não só de emoção, daquela intensidade que o deixava tonto e inebriado de prazer. De medo. Ele podia sentir o medo na mente de Elena e queria protegê-la, abrigá-la, amá-la e *matar* qualquer coisa que se atrevesse a assustá-la. Com algo parecido com um rosnado, ele ergueu a cabeça para olhar em volta.

— O que é? — disse ele, ouvindo o quão áspera soava sua própria voz, como a de um predador. — Se alguma coisa tentar feri-la...

— Nada pode me ferir. — Ela ainda se agarrava a ele, mas se inclinou para trás para olhar em seu rosto. — Eu tenho medo por *você*, Stefan, pelo que ele pode fazer a você. E pelo que pode fazer você ver... — Sua voz oscilou. — Ah, Stefan, vá agora, antes que ele chegue. Ele pode encontrar você através de mim. Por favor, vá, por favor...

— Peça qualquer outra coisa e eu farei — disse Stefan. O assassino teria de rasgá-lo nervo por nervo, músculo por músculo, célula por célula para obrigá-lo a deixar Elena.

— Stefan, é só um sonho — disse Elena desesperada, com novas lágrimas rolando. — Não podemos nos tocar de verdade, não podemos ficar juntos. Não é permitido.

Stefan não se importava. Não parecia um sonho. Parecia real. E mesmo num sonho ele não ia desistir de Elena, por ninguém. Nenhuma força do céu ou do inferno o obrigaria a...

— Nem pense nisso, garoto. Surpresa! — disse uma nova voz, uma voz que Stefan nunca ouvira. Por instinto, porém, ele reconheceu a voz de um assassino. Um caçador entre caçadores. E, quando se virou, lembrou-se do que Vickie, a pobre Vickie, havia dito.

Ele parece o demônio.

Se o demônio fosse lindo e louro.

Vestia um sobretudo puído, como Vickie descrevera. Sujo e esfarrapado. Parecia qualquer morador de rua de uma grande cidade, só que era muito alto e os olhos eram claros e penetrantes. De um azul intenso, como o céu de inverno. O cabelo era quase branco, eriçado como se soprado por uma lufada de vento gelado. O sorriso largo deu náuseas em Stefan.

— Salvatore, eu presumo — disse ele, ensaiando uma mesura. — E, é claro, a linda Elena. A linda Elena... *morta*. Veio se juntar a ela, Stefan? Os dois deveriam ficar juntos.

Ele parecia jovem, mais velho do que Stefan, mas ainda assim jovem. Só que não era.

— Stefan, deixe-me agora — sussurrou Elena. — Ele não pode me atingir, mas com você é diferente. Ele pode fazer alguma coisa que o seguirá para além deste sonho.

O braço de Stefan ficou preso a ela.

— Bravo! — aplaudiu o homem de sobretudo, olhando ao redor, como que para estimular uma plateia invisível. Ele cambaleou um pouco e, se fosse humano, Stefan teria pensado que estava bêbado.

— Stefan, *por favor* — sussurrou Elena.

— Seria uma grosseria sair sem que antes fôssemos apresentados — disse o louro. Com as mãos nos bolsos do casaco, ele se aproximou um ou dois passos. — Não quer saber quem eu sou?

Elena balançou a cabeça, não por não querer saber, mas um sinal de derrota, apoiando a testa no ombro de Stefan. Ele pôs a mão em concha em seu cabelo, querendo proteger cada parte dela daquele homem assustador.

— Quero — disse ele, sem tirar os olhos do louro por sobre a cabeça de Elena.

— Não entendo por que não me perguntou primeiro — respondeu o homem, coçando o rosto com o dedo médio. — Em vez de procurar todo mundo. *Eu* sou o único que pode responder às suas perguntas. Estou por aqui há muito tempo.

— Quanto? — disse Stefan, sem se deixar impressionar.

— Há *muito* tempo... — O olhar do louro ficou sonhador, como se fitasse o passado. — Eu já rasgava pescoços bonitos quando seus ancestrais construíram o Coliseu. Matei com o exército de Alexandre. Combati na Guerra de Troia. Sou velho, Salvatore. Sou um dos Originais. Em minhas recordações mais antigas, eu portei um machado de bronze.

Lentamente, Stefan assentiu.

Ele ouviu falar dos Antigos. Eram assunto entre os vampiros, mas ninguém das relações de Stefan realmente conheceu um deles. Cada vampiro tinha origens em outro vampiro, transformado pela troca de sangue. Mas em algum lugar, no passado, existiram os Originais, aqueles que *não* foram transformados. Era neles que a linha de continuidade parava. Ninguém sabia como se tornaram vampiros. Mas seus Poderes eram lendários.

— Ajudei a derrubar o Império Romano — continuou o louro, ainda sonhador. — Eles nos chamavam de bárbaros... Simplesmente não compreendiam! Guerra, Salvatore! Não há nada assim. Na época, a Europa era empolgante. Decidi ficar pelo interior e desfrutar a vida. Estranho, as pessoas nunca ficavam muito à vontade perto de mim. Costumavam fugir ou empunhar crucifixos. — Ele balançou a cabeça. — Mas uma mulher se aproximou e pediu minha ajuda. Era criada na casa de um barão, e sua pequena senhora estava doente. Morrendo, disse ela. Queria que eu fizesse alguma coisa. E assim... — O sorriso voltou e se alargou, ficando maior, incrivelmente maior. — Eu fiz. Ela era uma coisinha linda.

Stefan girou o corpo para afastar Elena do louro, e agora, por um momento, também virou a cabeça. Ele devia saber, devia ter imaginado. Então tudo remontava a ele. A morte de Vickie, e de Sue, eram de responsabilidade dele. Ele começara a cadeia de acontecimentos que terminava aqui.

— Katherine — disse ele, levantando a cabeça para olhar o homem. — Você foi o vampiro que transformou Katherine.

— Para *salvar* a *vida* dela — disse o louro, como se Stefan fosse burro e não compreendesse. — A vida que sua namoradinha aqui tirou.

Um nome. Stefan procurava por um nome em sua mente. Lembrava que Katherine mencionara este nome, como deve ter descrito este homem uma vez. Ele podia ouvir as palavras de Katherine em sua mente: *Acordei no meio da noite e vi o homem que Gudren, minha criada, tinha trazido. Fiquei com medo. O nome dele era Klaus e eu ouvira o povo do vilarejo dizer que ele era cruel...*

— Klaus — disse o louro com brandura, como se concordasse com alguma coisa. — Era assim que *ela* me chamava. Ela voltou a mim depois que dois sujeitinhos italianos a rejeitaram. Ela fez tudo por eles, transformou-os em vampiros, deu-lhes a vida eterna, mas eles foram ingratos e a abandonaram. Muito estranho.

— Não foi o que aconteceu — retrucou Stefan entredentes.

— O mais estranho era que ela nunca conseguiu superar vocês, os Salvatore. Especialmente você. Ela sempre fazia comparações nada lisonjeiras entre nós. Tentei meter algum juízo naquela cabeça, mas jamais tive sucesso. Talvez devesse simplesmente tê-la matado eu mesmo, não sei. Mas acabei me acostumando com a presença dela. Ela nunca foi lá muito inteligente. Mas era bom olhar para Katherine e ela sabia se divertir. Ensinei isso a ela, a gostar de matar. Por fim sua mente mudou um pouco, mas e daí? Não era o cérebro dela que eu queria por perto.

Não havia mais nenhum vestígio de amor por Katherine no coração de Stefan, mas ainda assim ele se viu odiando o homem que fez dela o horror que era no fim.

— Eu? *Eu*, garoto? — Klaus apontou para o próprio peito, incrédulo. — *Você* fez de Katherine o que ela é agora, ou sua namoradinha fez. *Neste momento*, ela é pó. Ração de vermes. Mas infelizmente no momento sua namoradinha está um pouco além de meu alcance. Vibrando em um plano superior, não é o que dizem os místicos, Elena? Por que não vibra aqui embaixo, com o restante de nós?

— Se eu pudesse — sussurrou Elena, levantando a cabeça e encarando-o com ódio.

— Ah, sim. Enquanto isso tenho seus amigos. Sue era um *doce*, pelo que soube. — Ele lambeu os lábios. — E Vickie, uma delícia. Delicada mas encorpada, com um bom buquê. Mais para 19 anos do que para 17.

Stefan tentou dar um passo, mas Elena o segurou.

— Stefan, não! Este é o território dele e seus Poderes são mais fortes do que os nossos. Ele manda aqui.

— Exatamente. Este é meu território. A irrealidade. — Klaus sorriu com malícia, o sorriso psicótico de novo. — De onde vêm seus pesadelos mais loucos, gratuitamente. Por exemplo — disse ele, olhando para Stefan —, gostaria de ver a aparência de sua namorada agora? Sem a maquiagem?

Elena soltou um murmúrio leve, quase um gemido. Stefan a abraçou com mais força.

— Quanto tempo faz que ela morreu? Uns seis meses? Sabe o que acontece com um corpo depois de enterrado por seis meses? — Klaus lambeu os lábios de novo, como um cachorro.

Agora Stefan entendia. Elena tremeu, de cabeça tombada, e tentou se afastar, mas ele manteve os braços firmes em volta dela.

— Está tudo bem — disse delicadamente. E para Klaus: — Está se esquecendo de um detalhe: não sou um humano que pula ao ver sombras e sangue. Sei sobre a morte, Klaus. Ela não me assusta.

— Não, mas emocionaria você? — A voz de Klaus era mais grave, inebriante. — Não é excitante, o fedor, a podridão, os fluidos da carne em decomposição? Não é um *prazer*?

— Stefan, solte-me. *Por favor*. — Elena tremia, empurrando-o com as mãos, o tempo todo mantendo a cabeça afastada para que ele não visse seu rosto. Sua voz denunciava que estava à beira das lágrimas. — *Por favor*.

— O único poder que você tem aqui é o da ilusão — disse Stefan a Klaus. Stefan prendeu Elena a ele, o rosto em seu cabelo. Podia sentir as mudanças no corpo que abraçava. O cabelo sob o rosto parecia se espessar e o corpo de Elena se encolhia.

— Em alguns solos, a pele pode ficar curtida como couro — garantiu-lhe Klaus, os olhos brilhando, como se sorrissem.

— Stefan, não quero que olhe para mim...

Com os olhos em Klaus, Stefan afastou gentilmente o cabelo branco e espesso e afagou o rosto de Elena, ignorando a aspereza sob seus dedos.

— Mas é claro que na maior parte do tempo só se decompõe. Que jeito de terminar. Você perde tudo, a pele, a carne, os músculos, os órgãos internos... Tudo volta à terra...

O corpo nos braços de Stefan minguava. Ele fechou os olhos e abraçou Elena com mais força, o ódio por Klaus ardendo dentro dele. Uma ilusão, era tudo uma ilusão...

— Stefan... — Era um sussurro seco, fraco. Pendeu no ar por um minuto e desapareceu, e Stefan se viu abraçando uma pilha de ossos.

— E por fim termina assim, em mais de duzentos pedaços separados, de fácil montagem. Vêm numa caixa de jogos... — Do outro lado do círculo de luz, ouviu-se um rangido. O caixão branco se abria sozinho, a tampa se erguia. — Por que não faz as honras, Salvatore? Acomode Elena no lugar certo.

Stefan caiu de joelhos, tremendo, olhando os ossos brancos e finos em suas mãos. Era tudo uma ilusão — Klaus estava apenas controlando o transe de Bonnie e mostrando a Stefan o que queria que Stefan visse. Ele não feriu realmente Elena, mas a fúria ardente e protetora dentro de Stefan não reconhecia isso. Com cuidado, Stefan pôs os ossos frágeis no chão e os tocou uma vez, gentilmente. Depois olhou para Klaus, os lábios franzidos de desprezo.

— *Isto* não é Elena — disse ele.

— Claro que é. Eu a reconheceria em qualquer lugar. — Klaus abriu as mãos e declamou: — *Conheci uma mulher, em seus ossos formosa...*

— Não. — O suor brotava na testa de Stefan. Ele se desligou da voz de Klaus e se concentrou, os punhos cerrados, os músculos se rasgando do esforço. Combater a influência de Klaus era como empurrar um pedregulho morro acima. Mas onde eles estavam, os ossos delicados começaram a tremer e uma luz dourada e clara brilhava em volta deles.

— *Farrapos, ossos e cabelos em rama... os tolos a chamavam de bela dama...*

A luz bruxuleava, dançando, lambendo os ossos e os unindo. Ouro e calor se desdobravam por eles, envolvendo-os e erguendo-os no ar. O que estava ali agora de pé era uma forma indistinta e suavemente radiante. O suor escorreu até os olhos de Stefan e ele sentiu que seus pulmões podiam explodir.

— *O corpo imóvel, o sangue vagava...*

O cabelo de Elena, longo, dourado e sedoso, arrumou-se sobre ombros cintilantes. As feições de Elena, de início embaçadas, mas aos poucos entrando em foco, claras, formaram-se no rosto. Com amor, Stefan reconstruiu cada detalhe. Cílios grossos, nariz pequeno, lábios separados como duas pétalas de rosa. Uma luz branca girava em volta da figura, criando um vestido fino.

— *... e a fenda na xícara abre uma estrada para a terra dos mortos...*

— Não. — A vertigem tomou Stefan quando ele sentiu a última onda de Poder escapar dele. Um sopro ergueu o peito da figura e olhos azuis de lápis-lazúli se abriram.

Elena sorriu e sentiu a força do seu amor tocar Stefan.

— Stefan. — Sua cabeça era altiva, orgulhosa como de uma rainha.

Stefan virou-se para Klaus, que tinha parado de falar e olhava fixamente, em silêncio.

— Esta — disse Stefan distintamente — é Elena. Não a casca vazia que deixou na terra. Esta é Elena e nada do que fizer poderá atingi-la.

Ele estendeu a mão, Elena a pegou e se aproximou dele. Quando os dois se tocaram, ele sentiu um solavanco, depois percebeu que os Poderes de Elena fluíam para ele, sustentando-o. Ficaram lado a lado, de frente para o louro. Stefan nunca se sentiu tão vitorioso na vida, nem tão forte.

Klaus os olhou talvez por alguns segundos e ficou furioso. Seu rosto se retorceu de ódio. Stefan podia sentir as ondas de Poder maligno atingindo Elena e ele, e usou toda sua força para resistir. O redemoinho de fúria sombria tentava separá-los, uivando pelo ambiente, destruindo tudo em seu caminho. As velas se apagaram e voaram como se apanhadas por um tornado. O sonho se rompia ao redor deles, espatifando-se.

Stefan segurou a outra mão de Elena. O vento soprou por seu cabelo, chicoteando-o no rosto.

— Stefan! — ela gritava, tentando se fazer ouvir. Depois ele ouviu a voz dela em sua mente. — *Stefan, escute! Há uma coisa que pode fazer para impedi-lo. Você precisa de uma vítima, Stefan... Encontre uma das vítimas dele. Só uma vítima saberá...*

O nível de ruído era insuportável, como se o tecido do espaço e do tempo se rasgasse. Com um grito de desespero, ele tentou alcançá-la novamente, mas não sentiu nada. Já estava esgotado pelo esforço de lutar com Klaus e não conseguiu se prender à consciência. A escuridão o tomou, levando-o em círculos para baixo.

Bonnie havia presenciado tudo.

Foi estranho, mas depois que ela se afastou para deixar Stefan a sós com Elena, pareceu deixar de estar fisicamente dentro do sonho. Era como se não fosse mais atriz ali, mas o cenário da ação continuasse rodando. Ela podia assistir, mas não podia interferir em mais nada.

No fim, Bonnie teve medo. Não era forte o bastante para segurar o sonho e toda a coisa finalmente explodiu, arrancando-a do transe, de volta ao quarto de Stefan.

Ele estava deitado no chão e parecia morto. Tão branco, tão imóvel. Mas quando Bonnie o puxou, tentando colocá-lo na cama, seu peito se ergueu e ela o ouviu arfar.

— Stefan? Você está bem?

Desvairado, ele olhou em volta como se tentasse encontrar alguma coisa.

— Elena! — disse ele, depois parou, a lembrança voltando com clareza.

Seu rosto se retorceu. Por um instante pavoroso, Bonnie pensou que ele ia chorar, mas só fechou os olhos e apoiou a cabeça nas mãos.

— Eu a perdi. Não consegui segurá-la.

— Eu sei. — Bonnie o olhou por um momento; em seguida, criando coragem, ajoelhou-se diante dele, tocando seus ombros. — Eu sinto muito.

A cabeça de Stefan se levantou de repente, os olhos verdes secos, mas com as pupilas tão dilatadas que pareciam pretos. As narinas se inflaram, os dentes à mostra num rosnado.

— Klaus! — Ele cuspiu o nome como se fosse uma maldição. — Você o viu?

— Vi — disse Bonnie, recuando. Ela engoliu em seco, o estômago revirado. — Ele é perigoso, não é, Stefan?

— Sim. — Stefan se levantou. — E precisa ser detido.

— Mas como? — Desde que vira Klaus, Bonnie ficara mais apavorada do que nunca, mais apavorada e menos confiante. — O que pode impedi-lo, Stefan? Nunca senti um Poder daqueles.

— Mas você não...? — Stefan voltou-se para ela rapidamente. — Bonnie, não ouviu o que Elena disse no fim?

— Não. Como assim? Não consegui ouvir nada; tinha um furacão ali na hora.

— Bonnie... — Os olhos de Stefan eram distantes, especulativos, mas ele começou a falar, aparentemente consigo mesmo. — Isso quer dizer que *ele* também não deve ter ouvido. Então ele não sabe e não vai tentar nos impedir.

— Do quê? Stefan, do que está falando?

— De encontrar uma vítima. Escute, Bonnie, Elena me disse que se pudermos encontrar uma vítima que sobreviveu a Klaus, podemos achar um meio de detê-lo.

Bonnie estava totalmente confusa.

— Mas... Por quê?

— Porque os vampiros e seus doadores... as presas... partilham a mente por algum tempo, enquanto o sangue está sendo trocado. Às vezes, o doador pode descobrir coisas sobre o vampiro dessa maneira. Nem sempre, mas acontece de vez em quando. É o que deve ter acontecido e Elena sabe disso.

— Está tudo muito bem, tudo muito bom... Menos por um detalhe — disse Bonnie com azedume. — Quer, por favor, me dizer quem *poderia* ter sobrevivido a um ataque de Klaus?

Ela esperou que Stefan murchasse, mas não aconteceu.

— Um vampiro — disse ele simplesmente. — Um humano que Klaus transformou em vampiro se caracteriza como vítima. Se trocaram sangue, compartilharam a consciência.

— Ah. *Ah*. Então... Se encontrarmos um vampiro que ele tenha transformado... Mas *onde*?

— Talvez na Europa. — Stefan começou a andar pelo quarto, os olhos semicerrados. — Klaus tem uma longa história e alguns vampiros dele estão por aí. Talvez tenha que partir para procurar por um deles.

Bonnie ficou visivelmente desanimada.

— Mas, Stefan, não pode nos deixar. Não pode!

Stefan parou onde estava, do outro lado do quarto, e ficou totalmente imóvel. Depois se virou para Bonnie.

— Não quero ir — disse ele em voz baixa. — Vamos primeiro pensar em outra solução... Talvez possamos prender Tyler de novo. Vou esperar uma semana, até o sábado que vem. Mas talvez eu tenha de partir, Bonnie. Sabe disso tão bem quanto eu.

O silêncio se estendeu entre os dois. Bonnie reprimiu o calor nos olhos, decidida a tentar ser adulta amadurecida. Não era uma criança e provaria isso agora, de uma vez por todas. Ela sustentou o olhar de Stefan e assentiu, lentamente.

13

19 de junho, 23:45h

Querido Diário,
    Ah, meu Deus, o que vamos fazer? Esta foi a semana mais longa da minha vida. Hoje foi o último dia de aula e amanhã Stefan vai partir. Ele vai à Europa procurar por um vampiro que tenha sido transformado por Klaus. Disse que não queria nos deixar desprotegidos. Mas vai assim mesmo.

Não conseguimos encontrar Tyler de novo. Seu carro desapareceu do cemitério, mas ele não deu as caras na escola. Faltou a todas as provas finais desta semana. Não que o restante de nós esteja se saindo muito melhor. Eu queria que a Robert E. Lee fosse como as escolas que têm todas as provas finais antes da formatura. Nem sei se ultimamente estou escrevendo na minha língua ou em suaíli.

Eu odeio Klaus. Pelo que vi, ele é tão perigoso quanto Katherine — e ainda mais cruel. O que ele fez com a Vickie... mas não posso nem falar nisso, ou vou começar a chorar de novo. Ele só estava brincando com a gente na festa de Caroline, como um gato caçando um camundongo. E era aniversário de Meredith também — embora eu acredite que ele nem soubesse disso. Mas ele parece saber de muita coisa. Ele não fala como um estrangeiro, não como Stefan quando veio para a América, e ele sabe tudo daqui, até músicas dos anos 1950. Talvez ele já esteja aqui há um bom tempo...

Bonnie parou de escrever. Refletia, desesperada. Em todo esse tempo, eles pensaram em vítimas na Europa, em vampiros. Mas pelo modo como Klaus falava, evidentemente estava na América há muito tempo. Não parecia nem um pouco estrangeiro. E tinha escolhido atacar as meninas no aniversário de Meredith...

Bonnie se levantou, pegou o telefone e discou o número de Meredith. Atendeu uma voz sonolenta de homem.

— Sr. Sulez, é a Bonnie. Posso falar com Meredith?

— Bonnie! Sabe que horas são?

— Sei. — Bonnie pensou rápido. — Mas é sobre... sobre a prova que fizemos hoje. Por favor, preciso falar com ela.

Houve uma longa pausa, depois um suspiro pesado.

— Só um minuto.

Bonnie tamborilou os dedos com impaciência enquanto esperava. Por fim houve o estalo de outro aparelho sendo tirado do gancho.

— Bonnie? — Era a voz de Meredith. — Qual é o problema?

— Nenhum. Quer dizer... — Era difícil, mas Bonnie estava consciente da linha aberta, do fato de que o pai de Meredith não tinha desligado. Ele podia estar ouvindo. — É sobre... aquele problema de alemão em que estivemos trabalhando. Você se *lembra*? Quando não conseguimos encontrar a solução. Lembra que procuramos pela única pessoa que pode nos ajudar a resolver? Bom, acho que sei quem é.

— Você *sabe*? — Bonnie podia sentir Meredith se atrapalhando para encontrar as palavras certas. — Bom... e quem é? Envolve alguma ligação internacional?

— Não — disse Bonnie —, não precisa. Está muito mais perto de casa, Meredith. Muito. Na verdade, pode-se dizer que está bem no nosso quintal, pendurado na árvore da nossa família.

A linha ficou em silêncio por tanto tempo que Bonnie se perguntou se Meredith ainda estava ouvindo.

— Meredith?

— Estou pensando. Essa solução tem algo a ver com uma coincidência?

— Não. — Bonnie relaxou e sorriu de leve, melancólica. Meredith agora entendeu. — Não tem nada a ver com coincidência. É mais um exemplo de repetição da história. Deliberadamente se repetindo, se entende o que estou falando.

— Sei — disse Meredith. Ela parecia estar se recuperando de um choque, e não era de admirar. — Sabe de uma coisa, acho que você pode ter razão. Mas ainda tem a questão de convencer... essa pessoa... a nos ajudar.

— Acha que pode ser um problema?

— Acho que sim. Às vezes as pessoas ficam muito agitadas... com uma prova. Às vezes elas até meio que perdem o juízo.

O coração de Bonnie afundou. Esta era uma coisa que não havia ocorrido a ela. E se ele *não pudesse* dizer a elas? E se estivesse distante demais?

— Só o que podemos fazer é tentar — disse ela, usando o tom mais otimista possível. — Vamos tentar amanhã.

— Tudo bem. Pego você ao meio-dia. Boa-noite, Bonnie.

— Boa-noite, Meredith. — Bonnie acrescentou: — Desculpe.

— Não, acho que pode ser uma boa ideia, a melhor. Assim essa história não vai se repetir para sempre. Tchau.

Bonnie apertou o botão de desligar no fone. Depois ficou sentada por uns minutos, o dedo no botão, olhando a parede. Por fim recolocou o fone na base e pegou o diário. Pôs um ponto na última frase e acrescentou outra.

Vamos ver o avô de Meredith amanhã.

— Sou um idiota — disse Stefan no carro de Meredith no dia seguinte. Eles iam para a Virgínia Ocidental, visitar a instituição onde o avô de Meredith estava internado. Seria uma longa viagem.

— Todos somos idiotas. Menos Bonnie — disse Matt. Mesmo no meio dessa ansiedade, Bonnie sentiu um lampejo de calor.

Mas Meredith balançava a cabeça, os olhos na estrada.

— Stefan, você não poderia ter pensado nisso, então pare de se recriminar. Não sabia que o dia em que Klaus nos atacou na festa de Caroline era o dia do aniversário do ataque a meu avô. E não ocorreu a Matt nem a mim que Klaus podia estar na América há tanto tempo, porque não tínhamos visto Klaus, nem ouvimos como ele falava. Estávamos pensando em quem ele pode ter atacado na Europa. Na verdade, Bonnie era a única que *podia* juntar todos os pontos, porque tinha todas as informações.

Bonnie mostrou a língua para ela. Meredith viu pelo retrovisor e arqueou uma sobrancelha.

— Só não quero que fique metida demais — disse ela.

— Não estou; a modéstia é uma de minhas virtudes mais encantadoras — respondeu Bonnie.

Matt bufou, mas depois disse:

— Ainda acho que foi muito inteligente. — O que fez com que Bonnie ficasse feliz novamente.

A instituição era horrível. Bonnie tentou ao máximo esconder o horror e a repulsa, mas sabia que Meredith podia sentir. Os ombros da amiga estavam rígidos de orgulho — mas na defensiva —, enquanto ela andava pelos corredores na frente do grupo. Bonnie, que a conhecia há tantos anos, podia ver a humilhação por baixo daquele orgulho. Os pais de Meredith consideravam o problema do avô uma mancha tal que jamais permitiram que ele fosse mencionado a estranhos. Era uma sombra sobre toda a família.

E agora Meredith estava mostrando esse segredo a estranhos pela primeira vez. Bonnie sentiu uma onda de amor e admiração pela amiga. Era tão típico de Meredith fazer isso sem estardalhaço, sem deixar que os outros soubessem o quanto lhe custava. Mas a instituição ainda assim era horrível.

Não era suja nem cheia de pacientes agitados, nada disso. Eles pareciam limpos e bem-cuidados. Mas havia alguma coisa, no cheiro estéril de hospital, nos corredores cheios de cadeiras de rodas imóveis e olhos vagos, que fez com que Bonnie tivesse vontade de correr.

Parecia um prédio cheio de zumbis. Bonnie viu uma velha, o couro cabeludo rosado aparecendo sob o cabelo branco e fino, sua cabeça arriada na mesa ao lado de uma boneca de plástico sem roupa. Quando Bonnie estendeu o braço desesperadamente, encontrou a mão de Matt já alcançando a dela. Eles seguiram Meredith assim, segurando-se com tanta força que doía.

— Este é o quarto dele.

Em seu interior havia outro zumbi, mas a cabeça branca ainda mostrava alguns fios pretos, como os de Meredith. Seu rosto era uma massa de rugas e marcas, os olhos remelentos e coroados de vermelho. Fitavam o vazio.

— Vovô — disse Meredith, ajoelhando-se diante de sua cadeira de rodas. — Vovô, sou eu, Meredith. Vim para visitar o senhor. Tenho uma pergunta importante para você.

Os olhos não deram sinal de vida.

— Às vezes ele reconhece a gente — disse Meredith em voz baixa, sem emoção. — Mas ultimamente não tem reconhecido.

O velho só encarava.

Stefan se abaixou, apoiando-se nos calcanhares.

— Deixe-me tentar — disse ele. Olhando para a cara enrugada, ele começou a falar, suavemente, de um jeito tranquilizador, como fizera com Vickie.

Mas os olhos escuros e baços nem piscaram. Só continuaram encarando, vagos. O único movimento foi um leve tremor contínuo nas mãos nodosas sobre os braços da cadeira de rodas.

E, por mais que Meredith e Stefan tentassem, foi a única resposta que conseguiram arrancar.

Por fim, Bonnie tentou, usando seus poderes paranormais. Podia sentir *alguma coisa* no velho, uma centelha de vida presa no corpo que o aprisionava. Mas não conseguiu alcançá-la.

— Desculpe — disse ela, recostando-se e tirando o cabelo dos olhos. — É inútil. Não posso fazer nada.

— Talvez a gente possa vir em outra hora — disse Matt, mas Bonnie sabia que não era verdade. Stefan ia partir no dia seguinte; não haveria outra chance. E esta parecia uma ideia tão boa... A chama que a aquecera agora virou cinza e seu coração pesava. Ela se virou e viu Stefan já saindo do quarto.

Matt pôs a mão sob o cotovelo de Bonnie para ajudá-la a se levantar e guiá-la para fora. E depois de ficar de pé por um minuto com a cabeça tombada de desânimo, Bonnie cedeu. Foi difícil criar energia suficiente para colocar um pé na frente do outro. Vagarosamente, ela olhou para trás para ver se Meredith os seguia...

E *gritou*. Meredith estava no meio do quarto, de frente para a porta, o desânimo estampado em seu rosto. Mas atrás dela a figura na cadeira de rodas enfim se mexera. Numa explosão de movimento, erguia-se silenciosamente sobre ela, os olhos velhos e remelentos arregalados e a boca escancarada. O avô de Meredith parecia ter sido apanhado em pleno salto — os braços no ar, a boca formando um uivo silencioso. Os gritos de Bonnie ressoaram no teto.

E então tudo aconteceu a um só tempo. Stefan voltou rapidamente. Meredith girou o corpo, Matt a segurou. Mas o velho não saltou. Ficou assomando acima de todos eles, olhando por sobre as cabeças, parecendo ver algo que ninguém mais via. Por fim saíram ruídos de sua boca, sons que formaram uma única palavra num uivo.

— *Vampiro! Vampiiiiro!*

Enfermeiros entraram no quarto, expulsando Bonnie e os outros, segurando o velho. Seus gritos aumentaram o pandemônio.

— *Vampiro! Vampiro!* — O avô de Meredith gritava, como se alertasse a cidade. Bonnie sentiu o pânico. Ele olhava para Stefan? Era uma acusação?

— Por favor, vocês precisam sair agora. Desculpe, mas terão de ir — dizia uma enfermeira. Eles estavam sendo expulsos. Meredith resistiu ao ser obrigada a ir para o corredor.

— Vovô...!

— *Vampiro!* — A voz gemia de um jeito sobrenatural.

E depois:

— Madeira de carvalho branco! Vampiro! Madeira de carvalho branco...

A porta bateu.

Meredith ofegou, reprimindo as lágrimas. Bonnie estava com as unhas cravadas no braço de Matt. Stefan se virou para eles, os olhos verdes arregalados de choque.

— Eu *disse* que vocês têm de ir embora agora — repetia a enfermeira, atormentada de impaciência. Os quatro a ignoraram. Todos se olhavam, em seus rostos o espanto dava lugar à compreensão.

— Tyler disse que só havia um tipo de madeira que podia feri-lo... — começou Matt.

— *Carvalho branco* — disse Stefan.

— Vamos ter de descobrir onde ele está escondido — disse Stefan a caminho de casa. Ele dirigia, uma vez que Meredith deixou cair as chaves na porta do carro. — Primeiro isso. Se formos rápidos, podemos atraí-lo para fora.

Seus olhos verdes brilhavam com um misto extraordinário de triunfo e determinação amarga, e ele falava em frases curtas e aceleradas. Todos estavam elétricos, pensou Bonnie, como se tivessem tomado energéticos a noite toda. Seus nervos estavam em frangalhos de tal maneira que qualquer coisa podia acontecer.

Bonnie também tinha a sensação de uma catástrofe iminente. Como se tudo estivesse caminhando a um fim, todos os acontecimentos desde o aniversário de Meredith chegando a uma conclusão.

Esta noite, pensou ela. Tudo vai acontecer esta noite. Parecia estranhamente adequado que fosse a véspera do solstício.

— A véspera do quê? — disse Matt.

Ela não havia percebido que falara em voz alta.

— A véspera do solstício — disse ela. — Hoje. Um dia antes do solstício de verão.

— Não me diga. Druidas, né?

— Eles o comemoravam — confirmou Bonnie. — É um dia mágico, que marca a mudança das estações. E... — Ela hesitou. — Bom, é como qualquer outro dia de festa, como o Halloween ou o solstício de inverno. Um dia em que a fronteira entre o mundo visível e o invisível é tênue. Quando podemos ver fantasmas, eles costumavam dizer. Quando coisas acontecem.

— Coisas vão acontecer — disse Stefan, entrando na rodovia principal que os levaria de volta a Fell's Church.

Nenhum deles sabia que seria tão rápido.

A sra. Flowers estava no quintal. Eles seguiram com o carro direto para o pensionato à procura dela. Estava podando roseiras e o cheiro de verão a cercava.

Ela franziu o cenho e piscou quando todos se reuniram em volta e lhe perguntaram apressadamente onde encontrar carvalho branco.

— Calma, devagar — disse ela, espiando o grupo sob a aba do chapéu de palha. — O que vocês querem? Carvalho branco? Tem alguns depois daqueles carvalhos ali ao fundo. Ora, esperem um minuto... — acrescentou ela enquanto todos partiram em disparada.

Stefan cortou um galho da árvore com um canivete que Matt tirou do bolso. Quando será que ele começou a andar com *isso*?, pensou Bonnie. Ela também se perguntou o que a sra. Flowers pensou deles enquanto eles voltavam, os dois meninos carregando o galho coberto de folhas de quase dois metros entre eles nos ombros.

Mas a sra. Flowers se limitou a observar sem dizer nada. Enquanto eles se aproximavam da casa, porém, ela gritou.

— Chegou uma encomenda para você, garoto.

Stefan virou a cabeça, o galho ainda no ombro.

— Para *mim*?

— Tinha seu nome. Um pacote e uma carta. Encontrei na varanda lá da frente hoje à tarde. Deixei no seu quarto.

Bonnie olhou para Meredith, depois para Matt e Stefan, encontrando o olhar confuso e desconfiado dos amigos. De repente a expectativa no ar aumentou, tornando-se quase insuportável.

— Mas de quem será? Quem pode saber que você está aqui... — começou ela enquanto todos subiam a escada para o sótão. Depois ela parou, o medo palpitando entre as costelas. A premonição zumbia dentro de Bonnie como uma mosca ranheta, mas ela a afugentou. Agora não, pensou ela, agora não.

Mas não havia como deixar de ver o pacote na mesa de Stefan. Os meninos encostaram o galho de carvalho branco na parede e foram olhar, um embrulho comprido e achatado em papel pardo, com um envelope creme por cima.

Na frente, numa letra familiar e torta, estava escrito *Stefan*.

A letra do espelho.

Todos ficaram olhando o pacote como se fosse um escorpião.

— Cuidado — disse Meredith, vendo Stefan lentamente estender a mão para abri-lo. Bonnie sabia o que ela queria dizer. Era como se aquilo pudesse explodir, soltar um gás venenoso ou se transformar em algo com dentes e garras.

O envelope que Stefan pegou era quadrado e firme, o papel era de qualidade, com bom acabamento. Como um convite de um príncipe para o baile, pensou Bonnie. Mas, o incongruente era que havia várias digitais na superfície e estava sujo nas beiradas. Bom — no sonho, Klaus também não parecia nada limpo.

Stefan olhou a frente e o verso, depois abriu o envelope. Tirou dele uma folha de papel grossa de escritório. Os outros três se reuniram em volta, olhando por sobre o ombro de Stefan. Depois Matt exclamou.

— Mas o que... está em branco!

Estava. Dos dois lados. Stefan virava o papel sem parar, examinando cada face. Seu rosto estava tenso, misterioso. Mas todos os outros relaxaram, com ruídos que denunciavam desprezo. Uma pegadinha idiota. Meredith estendeu a mão para o pacote, que parecia achatado o bastante para também estar vazio, quando Stefan de repente enrijeceu, a respiração sibilando. Bonnie olhou rapidamente e deu um salto. A mão de Meredith ficou paralisada no pacote e Matt xingou.

No papel em branco, firme entre as mãos de Stefan, apareciam letras. Eram pretas, com golpes longos para baixo, como se cada uma delas estivesse sendo cortada por uma faca invisível aos olhos de Bonnie. Ela leu as palavras e o pavor dentro dela cresceu.

Stefan,
Tentaremos resolver isso como dois cavalheiros? Estou com a menina. Venha à antiga fazenda no bosque após o anoitecer e conversaremos, só nós dois. Venha só e eu a libertarei. Traga alguém e ela morrerá.

Não havia assinatura, mas ao pé da página apareceram as palavras: *Isto fica entre mim e você.*

— Que menina? — perguntava Matt, olhando de Bonnie para Meredith como que para ter certeza de que elas ainda estavam ali. — Que menina?

Com um movimento ágil, os dedos elegantes de Meredith abriram o pacote e tiraram o que havia ali dentro. Um cachecol verde-claro com uma estampa de uvas e folhas. Bonnie se lembrava perfeitamente dele e a visão perpassou sua mente num átimo. Confete e presentes de aniversário, orquídeas e chocolate.

— Caroline — sussurrou ela, fechando os olhos.

As duas últimas semanas foram tão estranhas, tão diferentes da vida comum na escola, que ela quase se esquecera da existência de Caroline. Caroline mudou-se para um apartamento em outra cidade para escapar, para ficar em segurança — mas Meredith disse a ela no início. *Ele pode seguir você a Heron, eu sei disso.*

— Ele só estava brincando com a gente de novo — murmurou Bonnie. — Deixou que chegássemos a esse ponto, que até víssemos seu avô, Meredith, e depois...

— Ele devia saber — concordou Meredith. — Ele devia saber o tempo todo que procurávamos por uma vítima. E agora ele nos colocou em xeque. A não ser... — Seus olhos escuros se iluminaram com uma esperança súbita. — Bonnie, não acha que Caroline pode ter deixado esse cachecol cair na noite da festa? E que ele simplesmente o pegou?

— Não. — A premonição zumbia mais perto e Bonnie a afugentava, tentando mantê-la a distância. Ela não a *queria*, não queria saber. Mas de uma coisa tinha certeza: isto não era um blefe. Klaus estava com Caroline.

— O que vamos fazer? — disse ela em voz baixa.

— Sei o que *não* vamos fazer, e é dar ouvidos a *ele* — disse Matt. — "Tentar resolver isso como cavalheiros"... Ele é um idiota, não é um cavalheiro. É uma cilada.

— É claro que é uma cilada — disse Meredith com impaciência. — Ele esperou até que descobríssemos como feri-lo e agora está tentando nos separar. Mas não vai dar certo!

Bonnie estivera olhando a expressão de Stefan com um desânimo crescente. Porque, enquanto Matt e Meredith falavam indignados, ele dobrou em silêncio a carta e a recolocou no envelope. Agora o fitava, o rosto imóvel, sem se deixar afetar por nada que acontecia a seu redor. E a expressão em seus olhos verdes assustou Bonnie.

— Podemos fazer com que isso se volte contra ele — dizia Matt. — Não é, Stefan? Não acha?

— Eu acho — disse Stefan com cautela, concentrando-se em cada palavra — que vou ao bosque depois do anoitecer.

Matt assentiu e, como o *quarterback* que era, começou a traçar um plano.

— Tudo bem, você o distrai. E enquanto isso, nós três...

— Vocês três — continuou Stefan no mesmo tom metódico, olhando diretamente para Matt — vão para casa. Vão dormir.

Houve uma pausa que pareceu interminável para os nervos tensos de Bonnie. Os demais olhavam Stefan.

Por fim, Meredith disse alegremente:

— Bom, vai ser difícil pegá-lo se estivermos dormindo, a não ser que ele faça a gentileza de nos visitar.

Isso quebrou a tensão e Matt disse, soltando um suspiro longo e sofrido:

— Tudo bem, Stefan. Entendo como se sente... — Mas Stefan o interrompeu.

— Estou falando sério, Matt. Klaus tem razão; isto é entre nós dois. E ele disse para eu ir sozinho, ou vai machucar Caroline. Então vou sozinho. É minha decisão.

— É o seu *enterro* — soltou Bonnie, quase perdendo o controle. — Stefan, você enlouqueceu. Não *pode*.

— Fique olhando.

— Não vamos *deixar* você...

— Você acha — disse Stefan, olhando para ela — que pode me impedir, se tentar?

Este silêncio foi muito desagradável. Olhando para Stefan, pareceu a Bonnie que ele se transformava diante de seus olhos. O rosto parecia mais afilado, a postura diferente, como que para lembrá-la dos músculos leves e duros de predador por baixo das roupas. De repente ele parecia distante, estranho. Assustador.

Bonnie desviou os olhos.

— Sejamos razoáveis — dizia Matt, mudando de tática. — Vamos nos acalmar e conversar sobre isso...

— Não há o que discutir. Eu vou. Vocês, não.

— Você nos deve mais do que isso, Stefan — disse Meredith, e Bonnie sentiu-se grata pelo tom frio da amiga. — Tudo bem, então você pode nos rasgar, membro por membro; tá legal, não se discute. Entendemos o argumento. Mas depois de tudo o que passamos juntos, merecemos uma discussão detalhada antes que você saia correndo.

— Você disse que era uma luta das meninas também — acrescentou Matt. — Quando foi que decidiu que não era?

— Quando descobri quem era o assassino! — disse Stefan. — É por minha causa que Klaus está aqui.

— Não é, não! — exclamou Bonnie. — Você obrigou Elena a matar Katherine?

— Eu obriguei Katherine a voltar para Klaus! Foi *assim* que começou. E envolvi Caroline nisso; se não fosse por mim, ela jamais teria odiado Elena, nunca teria se metido com Tyler. Tenho responsabilidades para com ela.

— Você só *quer* acreditar nisso — Bonnie quase gritava. — Klaus odeia a todos nós! Acha realmente que ele vai deixar você sair andando de lá? Acha que ele pretende deixar o resto de nós em paz?

— Não — disse Stefan, e pegou o galho que estava encostado na parede. Ele pegou o canivete de Matt do próprio bolso e começou a retirar os ramos, fazendo uma lança branca e reta.

— Ah, que ótimo, você vai a um duelo! — disse Matt, furioso. — Não entende a estupidez disso? Vai cair direto na armadilha dele! — Ele avançou um passo para Stefan. — Pode achar que nós três não podemos impedir você...

— Não, Matt. — A voz baixa e leve de Meredith atravessou o quarto. — Isso não vai trazer bem algum. — Stefan olhou para ela, os músculos em torno dos olhos endurecendo, mas ela só retribuiu o olhar com a expressão equilibrada e calma.

— Então está decidido a encontrar Klaus cara a cara, Stefan. Muito bem. Mas antes que vá, pelo menos certifique-se de ter uma chance na luta. — Friamente, ela começou a desabotoar a gola da blusa bordada.

Bonnie sentiu um choque, embora tivesse feito a mesma oferta uma semana antes. Mas foi em particular, pelo amor de Deus, pensou ela. Depois deu de ombros. Em público ou em particular, que diferença fazia?

Ela olhou para Matt, cujo rosto refletia sua consternação. Depois viu a testa de Matt franzir e o início daquela expressão obstinada que costumava apavorar os treinadores de times de futebol adversários. Seus olhos azuis se voltaram para os dela e ela assentiu, empinando o queixo. Sem dizer nada, abriu o zíper do agasalho leve que vestia enquanto Matt tirava a camiseta.

Tentando ocultar o próprio choque, Stefan olhou de um para outro, os três que, de cara amarrada, se despiam em seu quarto. Mas balançou a cabeça, a lança branca diante dele como uma arma.

— Não.

— Não seja burro, Stefan — rebateu Matt. Mesmo na confusão deste momento terrível, algo dentro de Bonnie parou para admirar o peito dele, despido. — Nós somos três. Deve poder tomar o suficiente sem machucar nenhum de nós.

— Eu disse não! Não por vingança, e nem para combater o mal com o mal! Por motivo nenhum. Pensei que *você* entenderia isso. — O olhar de Stefan para Matt era amargurado.

— Eu entendo que você vai morrer lá! — gritou Matt.

— Ele tem razão! — Bonnie apertou o nó dos dedos na boca. A premonição rompia suas defesas. Ela não queria deixar que entrasse, mas não tinha mais forças para resistir. Com um tremor, sentiu-a apunhalar e ouviu as palavras em sua mente.

— *Ninguém pode lutar com ele e viver* — disse ela com dificuldade. — Foi o que Vickie disse e é verdade. E eu *sinto*, Stefan. Ninguém pode lutar com ele e viver!

Por um momento, só por um momento, Bonnie pensou que ele a estava ouvindo. Depois o rosto de Stefan ficou rígido novamente e ele falou com frieza.

— Não é problema seu. Deixe que eu me preocupe com isso.

— Mas se não há como vencer... — começou Matt.

— Não foi o que Bonnie disse! — respondeu Stefan, tenso.

— Foi, sim! O que você pensa que está fazendo? — gritou Matt. Era difícil fazer Matt perder a calma, mas, depois que perdia, era igualmente difícil conseguir que ele a recuperasse. — Stefan, para mim já chega...

— E para mim também! — respondeu Stefan num urro. Num tom que Bonnie nunca o ouvira usar. — Estou de saco cheio de vocês todos, de saco cheio de suas briguinhas e fraquezas... E de suas premonições também! Este problema é *meu*.

— Pensei que fôssemos uma equipe... — exclamou Matt.

— Não somos uma *equipe*. *Vocês* são um bando de humanos idiotas! Mesmo depois de tudo o que aconteceu com vocês, no fundo só querem ter suas vidinhas seguras em suas casinhas seguras até o momento de irem para suas covinhas seguras! Não sou parecido com vocês e não quero ser! Aguentei vocês esse tempo todo porque fui obrigado a isso, mas agora acabou. — Ele olhou de um para outro e falou com decisão, destacando cada palavra. — Não preciso de nenhum de vocês. Não quero vocês comigo, e não quero que me sigam. Vocês só vão estragar minha estratégia. Quem se *atrever* a me seguir, eu matarei.

E com um último e ardente olhar, ele deu meia-volta e saiu.

14

— Ele perdeu o juízo — disse Matt, olhando a soleira vazia da porta pela qual Stefan tinha desaparecido.

— Não é nada disso — disse Meredith. Sua voz era triste e baixa, mas também havia uma espécie de divertimento nela. — Não entendeu o que ele fez, Matt? — disse ela quando ele se virou. — Gritando, fazendo com que a gente o odeie, tentando nos afastar. Sendo o mais desagradável possível para que a gente fique com raiva e deixe que ele faça isso sozinho. — Ela olhou a porta e ergueu as sobrancelhas. — Mas o "Quem se atrever a me seguir, eu matarei" *foi* meio exagerado.

Bonnie riu de repente, descontrolada.

— Acho que pegou emprestado de Damon. "Prestem atenção, eu não preciso de nenhum de vocês!"

— "Seu bando de humanos idiotas" — acrescentou Matt. — Mas ainda não entendo. Você teve uma premonição, Bonnie, e em geral Stefan não despreza essas coisas. Se não há como lutar e vencer, que sentido tem ir até lá?

— Mas Bonnie não disse que não há como lutar e vencer. Ela disse que não há como lutar e *sobreviver*. Não é, Bonnie? — Meredith olhou para ela.

A crise de riso se dissolveu. Sobressaltada, Bonnie tentou examinar a premonição, mas não alcançava nada além das palavras que brotaram em sua mente. *Ninguém pode lutar com ele e viver.*

— Quer dizer que Stefan acha... — Um horror lento e explosivo ardia nos olhos de Matt. — Ele acha que vai deter Klaus se matando? Como um cordeiro de sacrifício?

— Mais como Elena fez — disse Meredith, séria. — E talvez... assim ele possa ficar com ela.

— Ahã. — Bonnie balançou a cabeça. Ela não podia saber tudo sobre a profecia, mas *disto* ela sabia. — Ele não pensa assim, eu tenho certeza. Elena é especial. Ela é o que é porque morreu nova demais; foi embora com muita coisa inacabada na vida e... bom, ela é um caso especial. Mas Stefan é vampiro há quinhentos anos e certamente não morreria jovem. Não há garantias de que vá terminar com Elena. Ele pode ir para outro lugar, ou... ou só *sumir*. E ele sabe disso. Tenho certeza de que ele sabe. Acho que ele só está cumprindo a promessa que fez a ela, de impedir Klaus a qualquer custo.

— Pelo menos tentar — disse Matt delicadamente, e parecia que ele estava citando outro alguém. — Mesmo sabendo que vai perder. — Ele olhou as meninas de repente. — Vou atrás dele.

— Claro — disse Meredith, paciente.

Matt hesitou.

— Bom... Acho que não dá para convencer as duas a ficarem aqui, né?

— Depois de toda aquela conversa inspiradora sobre trabalho em equipe? Nem pensar.

— Era o que eu temia. Então...

— Então — disse Bonnie —, vamos nessa.

Eles juntaram as armas que puderam. O canivete de Matt, que Stefan tinha largado, a adaga de cabo de marfim da cômoda de Stefan, uma faca de carne da cozinha.

Do lado de fora, não havia sinal da sra. Flowers. A oeste, o céu tinha tons claros de roxo e laranja-amarelado. O crepúsculo da véspera do solstício, pensou Bonnie, e os pelos de seus braços começaram a se eriçar.

— Klaus falou da antiga fazenda no bosque... Deve ser a fazenda dos Francher — disse Matt. — Onde Katherine jogou Stefan no poço abandonado.

— Faz sentido. Ele devia estar usando o túnel de Katherine para ir e voltar pelo rio — disse Meredith. — A não ser que os Antigos sejam tão poderosos que possam atravessar água corrente sem problema nenhum.

É verdade, lembrou-se Bonnie, as coisas más não podiam atravessar água corrente e quanto mais cruel você fosse, mais difícil era.

— Mas não sabemos nada dos Originais — disse ela em voz alta.

— Não, e isso quer dizer que precisamos ter cuidado — disse Matt. — Conheço muito bem esse bosque e sei qual trilha Stefan deve ter usado. Acho que temos que usar uma diferente.

— Então Stefan não vai nos ver e nos matar?

— Então *Klaus* não vai nos ver, ou não todos nós. Assim talvez a gente tenha uma chance de chegar a Caroline. De uma forma ou de outra temos que tirar Caroline da equação; se Klaus pode machucá-la, pode obrigar Stefan a fazer o que ele quiser. E é sempre bom ter um plano para pegar o inimigo de surpresa. Klaus disse para eles se encontrarem depois do anoitecer; bom, estaremos lá *antes* de anoitecer e talvez possamos surpreendê-lo.

Bonnie ficou muito impressionada com essa estratégia. Não admira que ele seja *quarterback*, pensava ela. Eu simplesmente teria corrido para lá aos gritos.

Matt escolheu uma trilha quase invisível entre os carvalhos. A mata era especialmente exuberante nessa época do ano, com musgo, relva, plantas floridas e samambaias. Bonnie tinha de confiar que Matt sabia aonde estava indo, porque *ela* certamente não sabia. No alto, as aves soltavam um último canto antes de procurar um abrigo para passar a noite.

Escurecia. Mariposas e bichos-lixeiros batiam contra o rosto de Bonnie. Depois de cambalear por um trecho de cogumelos cobertos de lesmas, ela ficou muito agradecida por desta vez estar de jeans.

Por fim, Matt as parou.

— Estamos chegando perto — disse ele, baixinho. — Tem uma espécie de escarpa de onde podemos olhar para baixo e Klaus não pode nos ver. Fiquem em silêncio e tenham cuidado.

Bonnie nunca teve tantos problemas para caminhar. Felizmente, o leito de folhas estava molhado e não estalava. Depois de alguns minutos, Matt se abaixou sobre a barriga e gesticulou para elas fazerem o mesmo. Bonnie ficou dizendo a si mesma, repetidamente, que não se importava se seus dedos encostassem em centopeias e minhocas e que de maneira alguma sentia as teias de aranha no rosto. Isto era uma questão de vida ou morte e ela era *capaz*. Não era idiota, não era uma criança, mas *capaz*.

— Aqui — sussurrou Matt, a voz quase inaudível. Bonnie se colocou de barriga para baixo ao lado dele e olhou.

Eles estavam diante da casa principal da fazenda dos Francher — ou do que restou dela. Tinha ruído há muito tempo, tomada pela floresta. Agora só restavam as fundações, pedras cobertas com mato florido e arbustos espinhosos, e uma chaminé alta como um monumento solitário.

— Ela está ali. Caroline — Meredith cochichou no ouvido de Bonnie.

Caroline era uma figura indistinta sentada e encostada na chaminé. O vestido verde-claro se destacava no anoitecer, mas o cabelo castanho-arruivado parecia preto. Uma coisa branca brilhava em seu rosto, e depois de um instante Bonnie percebeu que era uma mordaça. Fita adesiva ou atadura. Por sua postura estranha — os braços nas costas, as pernas estendidas na frente — Bonnie também deduziu que estava amarrada.

Coitada da Caroline, pensou ela, perdoando todas as coisas antipáticas, mesquinhas e egoístas que ela fizera — uma quantia considerável quando se pensava bem no assunto. Mas Bonnie não conseguia imaginar nada pior do que ser raptada por um vampiro psicopata que já matara duas de suas colegas de turma, ser arrastada para o bosque e amarrada, depois deixada ali, esperando, sua vida dependendo de outro vampiro que tinha bons motivos para odiar você. Afinal, Caroline quis Stefan desde o início, e odiou e humilhou Elena por consegui-lo. Stefan Salvatore era a última pessoa que devia se preocupar com Caroline Forbes.

— Olhem! — disse Matt. — É ele? Klaus?

Bonnie viu também, uma onda de movimento do outro lado da chaminé. Enquanto Bonnie se esforçava para enxergar, ele apareceu, o sobretudo caramelo-claro batendo fantasmagórico nas pernas. Ele olhou para Caroline e ela se encolheu, tentando se afastar. O riso dele soou com tanta clareza no ar silencioso que Bonnie se retraiu.

— É ele — cochichou ela, baixando atrás da tela de samambaias. — Mas cadê o Stefan? Já é quase noite.

— Talvez ele tenha ficado esperto e decidiu não vir — disse Matt.

— Não temos tanta sorte — disse Meredith. Ela olhava através das samambaias, para o sul. Bonnie olhou na mesma direção e tomou um susto.

Stefan estava parado na beira da clareira, tendo se materializado ali como que do ar. Nem mesmo Klaus o vira chegar, pensou Bonnie. Ele estava em silêncio, sem tentar se esconder, nem ocultar a lança branca que segurava. Havia algo em sua atitude e no modo como olhava o ambiente ao redor que fez Bonnie se lembrar de que, no século XV, ele era um aristocrata, integrante da nobreza. Ele não dizia nada, esperando que Klaus desse por sua presença, recusando-se a ser precipitado.

Quando Klaus se virou para o sul, ele continuou parado e Bonnie teve a sensação de que ele ficou surpreso por Stefan ter chegado de mansinho. Mas depois Klaus riu e abriu os braços.

— Salvatore! Que coincidência; eu estava mesmo pensando em você!

Lentamente, Stefan olhou Klaus de cima a baixo, da bainha do sobretudo esfarrapado ao alto da cabeça soprada pelo vento.

— Você me convidou. Estou aqui. Solte a menina.

— Eu disse isso? — Parecendo genuinamente surpreso, Klaus colocou as mãos no peito. Depois balançou a cabeça, rindo. — Acho que não. Primeiro vamos conversar.

Stefan assentiu, como se Klaus tivesse confirmado algo amargo que ele estava esperando. Tirou a lança do ombro e a colocou diante dele, manipulando o pedaço de madeira com habilidade e facilidade.

— Estou ouvindo — disse ele.

— Não é tão burro quanto parece — murmurou Matt de trás das samambaias, com um tom de respeito na voz. — E não está tão ansioso para ser morto como eu pensei — acrescentou.

— Está sendo cauteloso.

Klaus gesticulou para Caroline, a ponta dos dedos roçando o cabelo da menina.

— Por que não vem até aqui, para não termos de gritar?
— Mas ele não ameaçou machucar a prisioneira, percebeu Bonnie.
— Posso ouvi-lo muito bem daqui — respondeu Stefan.
— Ótimo — sussurrou Matt. — Isso mesmo, Stefan!

Mas Bonnie examinava Caroline. A menina capturada lutava, jogando a cabeça de um lado a outro como se estivesse frenética ou sentisse dor. Mas Bonnie teve uma sensação estranha com os movimentos de Caroline, em especial aqueles safanões violentos da cabeça, como se a menina estivesse se esforçando para chegar ao céu. O céu... O olhar de Bonnie se ergueu, onde a completa escuridão tinha caído e uma lua minguante brilhava sobre as árvores. Era por isso que agora podia ver que o cabelo de Caroline era castanho-arruivado; o luar, pensou ela. Depois, com um choque, seus olhos caíram na árvore acima de Stefan, cujos galhos roçavam de leve na ausência de qualquer vento.

— Matt? — cochichou ela, alarmada.

Stefan estava concentrado em Klaus, todos os sentidos, todos os músculos, cada átomo de seu Poder afiado e voltado para o Antigo diante dele. Mas na árvore, bem acima...

Toda a estratégia, de perguntar a Matt o que fazer, escapou da cabeça de Bonnie. Ela deu um salto, saiu do esconderijo e gritou.

— Stefan! Acima de você! É uma armadilha!

Stefan saltou de lado, elegante como um felino, assim que alguma coisa desceu no exato lugar onde ele estivera um segundo antes. A lua iluminou perfeitamente a cena, o suficiente para Bonnie ver os dentes brancos e expostos de Tyler.

E ver o brilho branco dos olhos de Klaus enquanto ele girava o corpo para ela. Por um momento de espanto, ela o encarou, depois estalou um raio.

De um céu sem nuvens.

Foi só mais tarde que Bonnie percebeu a estranheza — o caráter pavoroso — daquilo. Na hora ela mal percebeu que o céu estava limpo e estrelado, e que o raio azul irregular parou na palma da mão erguida de Klaus. O que ela viu em seguida foi tão apavorante quanto a escuridão em tudo: Klaus fechando a mão sobre aquele raio, *pegando-o* de algum modo e atirando na direção dela.

Stefan gritava, gritava para ela se afastar, *saia daí*! Bonnie o ouviu enquanto ele olhava, paralisado, depois algo a segurou, puxando-a para o lado. O raio estalou sobre sua cabeça, com um som de chicote gigante e um cheiro de ozônio. Ela caiu de cara no musgo e rolou para pegar a mão de Meredith e agradecer por tê-la salvado, só que ali ela encontrou Matt.

— Fique aqui! Bem aqui! — gritou ele, e correu.

Aquelas palavras de novo! Bonnie ficou de pé num átimo e antes de saber o que estava fazendo corria atrás de Matt.

E então o mundo virou um caos.

Klaus se voltara para Stefan, que lutava com Tyler, batendo nele. Tyler, em sua forma de lobo, soltava ruídos terríveis enquanto Stefan o atirava no chão.

Meredith corria para Caroline, aproximando-se por trás da chaminé para que Klaus não a visse. Bonnie a viu chegar até Caroline e percebeu o clarão da adaga de prata de Stefan quando Meredith cortou as cordas que envolviam os pulsos da menina. Depois Meredith carregou e arrastou Caroline para trás da chaminé para desamarrar seus pés.

O som de chifres se chocando fez Bonnie se virar. Klaus tinha se aproximado de Stefan com um galho comprido que ele arranjara — devia estar no chão antes. Parecia tão afiado quanto o de Stefan, outra lança útil. Mas Klaus e Stefan não estavam só se golpeando; usavam os bastões para aparar os golpes. Robin Hood, pensou Bonnie, perplexa. Como John e Robin. Era o que parecia; Klaus era muito mais alto e de estrutura muito mais robusta do que Stefan.

Depois Bonnie viu outra coisa e gritou sem palavras. Atrás de Stefan, Tyler tinha se levantado de novo e estava agachado, como estivera no cemitério antes de saltar para o pescoço de Stefan. Stefan estava de costas para ele. E Bonnie não conseguiria avisá-lo a tempo.

Mas ela havia se esquecido de Matt. De cabeça baixa, ignorando garras e presas, ele partiu para Tyler, atacando-o como um *linebacker* de primeira linha antes de ele poder saltar. Tyler voou para o lado, com Matt em cima dele.

Bonnie ficou estupefata. Tanta coisa acontecia ao mesmo tempo. Meredith cortava as cordas nos tornozelos de Caroline; Matt esmurrava Tyler de uma forma que certamente teria provocado sua expulsão do campo de futebol americano; Stefan girava aquele bastão de carvalho branco como se fosse treinado para isso. Klaus ria, delirante, parecendo animado pelo exercício, os dois trocando golpes com velocidade e precisão letais.

Mas agora Matt parecia ter problemas. Tyler o agarrava e rosnava, tentando atingir seu pescoço. Num rompante, Bonnie procurou uma arma por perto, inteiramente esquecida da faca no bolso. Seus olhos caíram em um galho de carvalho. Ela o pegou e correu para onde Tyler e Matt lutavam.

Ao chegar lá, estacou. Não se atrevia a usar o galho por medo de acertar Matt. Ele e Tyler rolavam sem parar num borrão de movimento.

Depois Matt ficou por cima de Tyler de novo, prendendo a cabeça dele no chão, libertando-se. Bonnie viu sua chance e mirou o galho. Mas Tyler *viu* Bonnie. Com uma explosão de força sobrenatural, o lobo empurrou com as pernas e o garoto voou para trás. A cabeça de Matt bateu numa árvore com um ruído que Bonnie jamais se esqueceria. O baque surdo de um melão podre explodindo. Ele escorregou pela frente da árvore e ficou imóvel.

Bonnie ofegava, atordoada. Podia ter partido no socorro de Matt, mas Tyler estava bem ali diante dela, bafejando, uma saliva ensanguentada escorrendo pelo queixo. Ele parecia mais animal do que no cemitério. Como que num sonho, Bonnie ergueu o galho, mas o sentia tremer em suas mãos. Matt estava tão imóvel — estaria respirando? Bonnie podia ouvir o soluço em sua própria respiração ao olhar para Tyler. Era ridículo; este era um menino da escola dela. Um menino com quem ela dançou no Baile do Reencontro no ano anterior. Como podia afastá-la de Matt, como podia tentar machucar a todos eles? Como ele podia *fazer* isso?

— Tyler, por favor... — começou ela, pretendendo chamá-lo à razão, pedir a ele...

— Totalmente sozinha no bosque, menininha? — disse ele, e sua voz era um rosnado denso e gutural, formando as palavras no último minuto. Naquele instante, Bonnie entendeu que este não era o menino de sua escola. Era um *animal*. Ah, meu Deus, como ele é feio, pensou ela. Filetes de saliva vermelha pendiam de sua boca. E aqueles olhos amarelos com as pupilas em fenda — neles ela viu a crueldade do tubarão, do crocodilo, da vespa que põe os ovos no corpo vivo de uma lagarta. Toda a crueldade da natureza naqueles olhos amarelos.

— Alguém deveria ter avisado — disse Tyler, baixando o queixo para dar uma gargalhada de cachorro. — Porque, se você vai ao bosque sozinha, pode encontrar o Lobo...

— ... babaca! — uma voz terminou por ele, e com uma gratidão que beirava a devoção, Bonnie viu Meredith ao lado dela. Meredith, com a adaga de Stefan, que brilhava fluida na luz da lua.

— Prata, Tyler — disse Meredith, brandindo a arma. — O que será que a prata faz com os membros de um lobisomem? Quer ver? — Toda a elegância de Meredith, sua reserva, a falta de emoção do observador frio tinham sumido. Esta era a Meredith em sua essência e, embora sorrisse, ela estava *irada*.

— *Isso!* — gritou Bonnie, alegre, sentindo uma onda de poder. De repente conseguia se mexer. Ela e Meredith, juntas, eram fortes. Meredith cercava Tyler por um lado, Bonnie brandia o galho de outro. Um desejo que ela nunca sentiu a tomou, o desejo de bater com tanta força em Tyler que sua cabeça sairia voando. Ela podia sentir a força para fazer isso chegando a seu braço.

E Tyler, com seu instinto animal, podia sentir, podia sentir as duas, se aproximando dos dois lados. Ele se retraiu, preparou-se e se virou para tentar escapar delas. Elas se viraram também. Num minuto, os três orbitavam como um pequeno sistema solar; Bonnie e Meredith em volta dele, procurando por uma oportunidade de atacar.

Um, dois, *três*. Um alerta silencioso disparou de Meredith para Bonnie. Assim que Tyler saltou para Meredith, tentando jogar a faca longe, Bonnie o golpeou. Lembrando-se do conselho de um antigo namorado que tentou ensiná-la a jogar beisebol, ela não imaginou bater na cabeça de Tyler, mas *através* de sua cabeça, atingindo algo do outro lado. Pôs todo o peso do pequeno corpo no golpe e o choque do contato quase arrancou seus dentes. Tyler lançou os braços numa agonia e espatifou o galho. Mas caiu como um passarinho alvejado no céu.

— Consegui! *Isso! É isso mesmo! É!* — gritava Bonnie, atirando longe o galho. O triunfo saiu dela em um grito primal. — *Conseguimos!* — Ela segurou o corpo pesado pelas costas e o puxou de Meredith, onde tinha caído. — *Nós...*

Depois se interrompeu, as palavras paralisadas na garganta.

— *Meredith!* — gritou ela.

— Está tudo bem — Meredith disse, ofegante, a voz tensa de dor. E fraqueza, pensou Bonnie, arrepiada como se tomasse um banho de água gelada. As garras de Tyler penetraram a perna dela até o osso. Havia cortes imensos e abertos na coxa do jeans de Meredith e na pele branca que aparecia com clareza pelo tecido rasgado. E, para o pavor completo de Bonnie, ela também podia ver por dentro da pele, a carne e o músculo rasgados e o sangue vermelho vertendo dali.

— Meredith... — gritava ela freneticamente. Precisavam levar Meredith ao médico. Todo mundo devia parar agora; todos deviam entender isso. Havia uma pessoa ferida; precisavam de uma ambulância, deveriam ligar para a emergência. — Meredith — disse ela, arfando, quase gemendo.

— Amarre alguma coisa. — A cara de Meredith era branca. Choque. Entrando em choque. E era tanto sangue; saía tanto sangue. Ah, Deus, pensou Bonnie, por favor, me ajude. Ela procurou por alguma coisa para amarrar, mas não havia nada.

Algo caiu no chão ao lado dela. Uma corda de náilon, como aquela que eles usaram para amarrar Tyler, com as pontas puídas. Bonnie levantou a cabeça.

— Dá para usar isso? — perguntou Caroline, insegura, os dentes batendo.

Ela estava com o vestido verde, o cabelo castanho-arruivado disperso e grudado no rosto suado e sujo de sangue. Enquanto falava, balançou e caiu de joelhos ao lado de Meredith.

— *Você* está machucada? — perguntou Bonnie, sem fôlego.

Caroline balançou a cabeça, mas depois se inclinou para a frente, teve ânsias de vômito e Bonnie pôde ver as marcas em seu pescoço. Mas não havia tempo para se preocupar com Caroline. Meredith era mais importante.

Bonnie amarrou a corda em volta do ferimento de Meredith, a mente repassando desesperadamente coisas que aprendera com a irmã, Mary. Mary era enfermeira. Ela disse uma vez que um torniquete não pode ser apertado demais nem ficar muito tempo no local, ou pode gangrenar. Mas ela precisava estancar a hemorragia. Ah, Meredith.

— Bonnie... Ajude Stefan — Meredith arfava, a voz quase um sussurro. — Ele vai precisar disso... — Ela tombou para trás, a respiração entrecortada, os olhos semicerrados voltados para o céu.

Molhado. Tudo estava molhado. As mãos de Bonnie, suas roupas, o chão. Molhado do sangue de Meredith. E Matt ainda estava deitado sob a árvore, inconsciente. Ela não podia deixá-los, não com Tyler ali. Ele podia voltar a si.

Desnorteada, ela se voltou para Caroline, que tremia e tentava vomitar, o suor brotando no rosto. Inútil, pensou Bonnie. Mas não tinha alternativa.

— Caroline, preste atenção. — Ela pegou o pedaço maior do galho que usou em Tyler e colocou nas mãos de Caroline. — Fique com Matt e Meredith. Afrouxe o torniquete mais ou menos a cada vinte minutos. E se Tyler começar a voltar a si, se ele sequer *se retorcer*, bata nele com a maior força que puder com isso. Entendeu? Caroline — acrescentou ela —, esta é sua grande chance de provar que é boa em alguma coisa. Que não é uma inútil. Está bem? — Ela olhou os olhos verdes furtivos e repetiu: — Está bem?

— Mas o que *você* vai fazer?

Bonnie olhou a clareira.

— Não, Bonnie. — A mão de Caroline a segurou, e em algum lugar de sua mente Bonnie notou as unhas quebradas dela, a abrasão das cordas nos pulsos. — Fique aqui, onde é seguro. Não vá até eles. Não há nada que você possa fazer...

Bonnie se livrou da mão de Caroline e foi para a clareira antes que perdesse a coragem. No fundo, sabia que Caroline tinha razão. Não havia nada que pudesse fazer. Mas algo que Matt dissera antes de eles saírem tinia em sua mente. Pelo menos tentar. Ela precisava tentar.

Ainda assim, nos terríveis minutos seguintes, só o que ela pôde fazer foi olhar.

Até agora, Stefan e Klaus trocavam golpes com tal violência e precisão que era uma dança letal e bela. Mas era um embate equilibrado, ou quase isso. Stefan suportava bem.

Agora ela viu Stefan descendo com a lança de carvalho branco, pressionando Klaus a ficar de joelhos, forçando-o para trás, cada vez mais para trás, como um dançarino de mambo vendo até que ponto podia se abaixar. E agora Bonnie pôde ver a expressão de Klaus, a boca entreaberta, olhando Stefan com o que parecia assombro e medo.

E então tudo mudou.

Bem no finalzinho da descida, quando Klaus se curvara de costas ao máximo, quando parecia que estava prestes a entrar em colapso ou se romper, algo aconteceu.

Klaus sorriu.

E começou a empurrar.

Bonnie viu os músculos de Stefan se retesarem, viu os braços ficarem rígidos, tentando resistir. Mas Klaus, ainda sorrindo diabolicamente, de olhos arregalados, continuava avançando. Desdobrou-se como uma caixa de surpresa pavorosa, só que devagar. Lentamente. Inexoravelmente. Seu sorriso ficou mais desvairado, até dar a impressão de que podia cortar seu rosto. Como o gato de Cheshire.

Um gato, pensou Bonnie.

Um gato com um camundongo.

Agora era Stefan que grunhia e se esforçava, os dentes trincados, tentando afastar Klaus. Mas Klaus e seu bastão desciam, forçando Stefan para trás, empurrando-o para o chão.

E ele sorria o tempo todo.

Até que Stefan estava deitado de costas, o próprio bastão em seu pescoço com o peso da lança de Klaus atravessada por cima dele. Klaus o olhou e ficou radiante.

— Estou cansado de brincar, garotinho — disse ele, e endireitou o corpo, empurrando o bastão para baixo. — É hora de morrer.

Ele tirou a lança de Stefan com a mesma facilidade que a tiraria de uma criança. Pegou-a com um giro do pulso e a quebrou no joelho, mostrando como era forte, como sempre foi forte. Com que crueldade estivera brincando com Stefan.

Uma das metades do bastão de carvalho branco que ele atirou por sobre o ombro atravessou a clareira. A outra, ele cravou em Stefan. Não usou a ponta afiada, mas a lascada, quebrada em dezenas de pontos. Ele golpeava com uma força que parecia quase despreocupada, mas Stefan gritou. Klaus repetiu a estocada, arrancando um grito a cada vez.

Bonnie berrou, mas a voz não saiu.

Nunca vira Stefan gritar na vida. Não precisava que lhe dissessem que dor causava isso. Ela não precisava que lhe dissessem que o carvalho branco podia ser a única madeira mortal para Klaus, mas que qualquer madeira era mortal para Stefan. Que Stefan, se já não estivesse morto agora, estava morrendo.

Que Klaus, com a mão agora erguida, ia terminar com tudo em mais um golpe. O rosto de Klaus estava virado para a lua com um sorriso obsceno de prazer, mostrando que era *disto* que ele gostava, era nisso que tinha prazer. Em matar.

E Bonnie não conseguia se mexer, nem conseguia gritar. O mundo flutuava em volta dela. Tudo foi um erro, ela não era competente; era, afinal, uma criança. Ela não queria ver o último golpe, mas não conseguia desviar os olhos. E tudo isso não podia estar acontecendo, mas estava. Estava.

Klaus fez um floreio com a estaca lascada e com um sorriso de puro êxtase começou a baixá-la.

E uma lança atravessou a clareira e o atingiu no meio das costas, caindo e tremendo como uma flecha gigantesca. Os braços de Klaus voaram para o lado, largando a estaca; o sorriso de êxtase esvaiu-se de seu rosto. Ele se levantou, de braços estendidos por um segundo, depois se virou com o bastão de carvalho branco, cravado nas costas, balançando de leve.

Os olhos de Bonnie estavam embaçados demais para que ela enxergasse, mas ela ouviu a voz com clareza, fria e arrogante, tomada por uma convicção absoluta. Só cinco palavras, mas palavras que mudavam tudo.

— *Fique longe do meu irmão.*

15

Klaus gritava, um grito que lembrou Bonnie de predadores antigos, animais pré-históricos e ferozes como o tigre-dentes-de-sabre e o mamute. O sangue espumava de sua boca junto com o grito, transformando aquele belo rosto numa máscara distorcida de fúria.

Suas mãos tatearam as costas, tentando pegar e arrancar a estaca de carvalho branco. Mas entrou fundo demais. O arremesso foi certeiro.

— Damon — sussurrou Bonnie.

Ele estava na beira da clareira, emoldurado pelos carvalhos. Bonnie viu que ele deu um passo na direção de Klaus, depois outro; passos leves e furtivos, cheios de um propósito mortal.

E ele estava furioso. Se não estivesse com os músculos paralisados, Bonnie teria corrido só de olhar seu rosto. Ela jamais vira tal ameaça tão mal controlada.

— Fique... longe... do meu irmão — repetiu ele, quase aos sussurros agora, com os olhos fixos em Klaus ao dar outro passo.

Klaus gritou de novo, mas suas mãos pararam de tatear freneticamente.

— Seu idiota! Não precisamos lutar! Eu expliquei isso na casa! Podemos nos ignorar!

A voz de Damon não ficou mais alta.

— Fique longe do meu irmão. — Bonnie podia sentir que dentro de Damon havia uma onda de Poder, como um tsunami. Ele continuou com a voz tão baixa que Bonnie precisou se esforçar para ouvir. — Antes que eu arranque seu coração.

Bonnie afinal conseguiu se mexer. Recuou um passo.

— Eu lhe disse! — gritou Klaus, espumando. Damon não ouvia nada. Todo seu ser parecia concentrado no pescoço de Klaus, em seu peito, no coração batendo por dentro, o coração que ele ia arrancar.

Klaus pegou a lança intacta e se precipitou na direção de Damon.

Apesar de todo o sangue, ainda pareciam restar muitas forças ao homem louro. A arrancada foi repentina, violenta e quase infalível. Bonnie o viu atirar a lança para Damon e fechou os olhos involuntariamente, mas os abriu um segundo depois ao ouvir o bater de asas.

Klaus tinha mergulhado exatamente no local onde Damon estivera e um corvo preto subia deixando para trás uma única pena. Aos olhos de Bonnie, a corrida de Klaus o levou pelo escuro, para além da clareira, e ele desapareceu.

Um silêncio mortal pairou no bosque.

A paralisia de Bonnie aos poucos cedeu e ela deu o primeiro passo, correndo em seguida até Stefan. Ele não abriu os olhos quando ela se aproximou; parecia inconsciente. Ela se ajoelhou ao lado dele. E sentiu uma calma horrível se esgueirar por ela, como alguém que estivera nadando em águas geladas e enfim sente os primeiros e inegáveis sinais de hipotermia. Se ela já não tivesse sofrido tantos choques sucessivos, podia ter fugido aos gritos ou se debulhado, desesperada. Mas este era simplesmente o último passo, o último deslize para a irrealidade. Para um mundo que não podia existir, mas existia.

Porque era ruim, muito ruim. O pior possível.

Ela nunca viu ninguém ferido daquele jeito, nem mesmo o sr. Tanner, e ele morreu em decorrência dos ferimentos. Nada que Mary tenha contado podia ajudar a sanar isto. Mesmo que colocassem Stefan numa maca na frente de uma sala de cirurgia, não bastaria.

Num estado de calma pavorosa, ela levantou a cabeça e viu um borrão de bater de asas e um tremeluzir à luz da lua. Damon se colocou ao lado dela e ela perguntou controlada e racionalmente.

— Ajudaria se eu desse sangue a ele?

Ele não parecia ouvi-la. Seus olhos estavam completamente pretos, só pupilas. Aquela violência descontrolada, a energia feroz recuara, se fora. Ele se ajoelhou e tocou a cabeça morena no chão.

— Stefan?

Bonnie fechou os olhos.

Damon está com medo, pensou ela. Damon está com medo — *Damon!* — e ah, meu Deus, não sei o que fazer. Não há *nada* a fazer — tudo acabou e todos perdemos, e Damon está com medo por Stefan. Ele não vai cuidar das coisas, não sabe o que fazer e alguém precisa consertar isso. E, ah, meu Deus, por favor, me ajude, porque estou muito apavorada e Stefan está morrendo e Meredith e Matt estão feridos e Klaus vai voltar.

Ela abriu os olhos e fitou Damon. Ele estava branco, o rosto jovem tomado pelo pavor, os olhos escuros dilatados.

— Klaus vai voltar — disse Bonnie num sussurro. Ela não tinha mais medo dele. Eles não eram um caçador de séculos de idade e uma menina humana de 17 anos, sentados ali na margem do mundo. Eram só duas pessoas, Damon e Bonnie; e precisavam fazer o melhor que pudessem.

— Eu sei — disse Damon. Ele segurava a mão de Stefan, totalmente confortável fazer isso, e tudo parecia muito lógico e sensato. Bonnie podia sentir que ele emanava Poder para Stefan, também podia sentir que não era o suficiente.

— O sangue o ajudaria?

— Não muito. Um pouco, talvez.

— Temos que tentar qualquer coisa que possa ajudar.

Stefan sussurrou.

— Não.

Bonnie ficou surpresa. Pensou que ele estivesse inconsciente. Mas agora os olhos de Stefan estavam abertos, e atentos, verdes e em brasa. Eram a única coisa viva nele.

— Não seja burro — disse Damon, a voz endurecendo. Segurou a mão de Stefan até que os nós dos dedos ficaram brancos. — Você está muito ferido.

— Não vou quebrar minha promessa. — Aquela obstinação inabalável continuava na voz de Stefan, em seu rosto pálido. E quando Damon voltou a abrir a boca, sem dúvida para dizer que Stefan iria quebrá-la ou ele quebraria seu pescoço, Stefan acrescentou: — Até porque não vai adiantar nada.

Houve um silêncio enquanto Bonnie lutou com a verdade crua disto. Onde estavam agora, neste lugar terrível para além das coisas comuns, o faz de conta ou a falsa confiança pareciam equivocados. Só a verdade serviria. E Stefan dizia a verdade.

Ele ainda olhava o irmão, que olhava para ele, toda aquela atenção feroz e furiosa concentrada em Stefan como antes estivera em Klaus. Como se de algum modo pudesse ajudar.

— Não estou muito ferido, estou morto — disse Stefan brutalmente, os olhos fixos em Damon. O último e maior conflito de vontade dos dois, pensou Bonnie. — E você precisa tirar Bonnie e os outros daqui.

— Não vamos deixar você — Bonnie se intrometeu. Era a verdade; ela sabia disso.

— *Têm* de ir embora! — Stefan não olhou para ela, não desviou os olhos do irmão. — Damon, sabe que tenho razão. Klaus chegará a qualquer minuto. Não desperdice sua vida. Não desperdice a vida *deles*.

— Não dou a mínima para a vida deles — sibilou Damon. Também era verdade, pensou Bonnie, curiosamente sem se ofender. Só havia uma vida com que Damon se importava ali, e não era a própria.

— Dá, sim! — Stefan respondeu, furioso. Pendurava-se na mão de Damon como numa queda de braço, como se fosse um combate e ele pudesse forçar Damon a ceder. — Elena fez um último pedido; ora, este é o meu. Você tem Poder, Damon. Quero que use-o para ajudá-los.

— Stefan... — sussurrou Bonnie, desamparada.

— *Prometa* — disse Stefan a Damon, e um espasmo de dor distorceu seu rosto.

Por segundos incontáveis, Damon simplesmente olhou o irmão.

— Eu prometo — disse ele, rápido e afiado como um golpe de adaga. Damon soltou a mão de Stefan e se colocou de pé, virando-se para Bonnie. — Vamos.

— Não podemos *deixar* Stefan...

— Podemos, sim. — Agora não havia nada de jovial no rosto de Damon. Nada vulnerável. — Você e seus amigos humanos vão embora daqui, de uma vez. *Eu* vou voltar.

Bonnie balançou a cabeça. Ela sabia, vagamente, que Damon não estava traindo Stefan, que Damon colocava os ideais de Stefan acima da vida do irmão, mas era tudo obscuro e incompreensível demais para ela. Bonnie não entendia e não queria entender. Só o que sabia era que Stefan não podia ficar ali daquele jeito.

— Vocês vão *agora* — disse Damon, estendendo a mão para ela, o aço voltando a sua voz. Bonnie se preparou para uma briga, mas aconteceu algo que destruiu toda a importância da discussão. Houve um estalo, como de um chicote gigante, um clarão tão brilhante quanto a luz do dia, e Bonnie ficou ofuscada. Quando conseguiu enxergar por meio da imagem persistente, seus olhos focaram as chamas que ardiam em um buraco, agora escurecido, na base de uma árvore.

Klaus voltara. Com raios.

Os olhos de Bonnie dispararam para ele, a única coisa que se movia na clareira. Ele agitava a estaca de carvalho branco ensanguentada que tinha arrancado das costas como um troféu sangrento.

Um bastão de raios, pensou Bonnie sem nenhuma lógica, e houve outro estalo.

Desceu de um céu sem nuvens, em bifurcações imensas e branco-azuladas que a tudo iluminaram como o sol do meio-dia. Bonnie viu uma árvore depois de outra sendo atingida, cada uma mais perto do que a anterior. As chamas lambiam como demônios vermelhos e famintos entre as folhas.

Duas árvores de um lado de Bonnie explodiram, com estalos tão altos que ela sentiu em vez de ouvir, penetrando em seus tímpanos. Damon, de olhos mais sensíveis, ergueu a mão para protegê-los.

Depois gritou:

— Klaus! — E disparou para o louro. Ele não foi furtivo; esta era a disparada mortal do ataque. A explosão de velocidade letal do felino ou do lobo caçador.

O raio o atingiu no meio do salto.

Bonnie gritou ao ver, dando um pulo. Houve um clarão azulado de gases superaquecidos e um cheiro de queimado, e então Damon estava no chão, deitado, o rosto imóvel. Bonnie podia ver filetes de fumaça saindo dele, saíam das árvores.

Emudecida de pavor, ela olhou para Klaus.

Ele cambaleava pela clareira, segurando a estaca ensanguentada como um taco de golfe. Ao passar, curvou-se sobre Damon e sorriu. Bonnie queria gritar de novo, mas não teve fôlego. Não parecia haver nenhum ar para respirar.

— Cuidarei de *você* depois — disse Klaus a um Damon inconsciente. Depois seu rosto se ergueu para Bonnie.

— Você — disse ele —, vou cuidar de você agora.

Passou-se um instante antes de ela perceber que ele olhava para Stefan, e não para ela. Aqueles olhos azuis vibrantes estavam fixos no rosto de Stefan. Depois deslocaram-se para o corpo ensanguentado.

— Agora vou *devorar* você, Salvatore.

Bonnie estava completamente só. A única que estava de pé. E tinha medo.

Mas sabia o que precisava fazer.

Ela caiu de joelhos de novo, baixando ao chão ao lado de Stefan.

E é assim que termina, pensou ela. A gente se ajoelha ao lado do cavalheiro e enfrenta o inimigo.

Ela olhou para Klaus e moveu-se de forma a proteger Stefan. Ele pareceu dar pela presença dela pela primeira vez, e franziu o cenho como se encontrasse uma mosca na sopa. O fogo bruxuleava num vermelho-alaranjado em seu rosto.

— Saia da frente.

— Não.

E é assim o início do fim. Assim, com essa simplicidade, com uma só palavra, e você morre numa noite de verão. Uma noite de verão em que a lua e as estrelas brilham e fogueiras queimam com as mesmas chamas que os druidas usavam para invocar os mortos.

— Bonnie, vá — disse Stefan com dificuldade. — Saia daqui enquanto pode.

— Não — disse Bonnie. *Desculpe, Elena,* pensou ela. *Não posso salvá-lo. É só isso que posso fazer.*

— Saia da frente — disse Klaus entredentes.

— Não. — Ela podia esperar e deixar que Stefan morresse sozinho, e não com os dentes de Klaus em seu pescoço. Não faria muita diferença, mas era o máximo que ela podia oferecer.

— Bonnie... — sussurrou Stefan.

— Sabe quem eu sou, garota? Eu andei com o demônio. Se sair daí agora, eu lhe darei uma morte rápida.

A voz de Bonnie tinha sumido. Ela balançou a cabeça.

Klaus jogou o pescoço para trás e riu. Um pouco mais de sangue também saiu.

— Muito bem — disse ele. — A decisão foi sua. Os dois irão juntos.

Noite de verão, pensou Bonnie. A véspera do solstício. Quando a fronteira entre os mundos é muito tênue.

— Diga boa-noite, meu amor.

Não há tempo para entrar em transe, não há tempo para nada. Nada a não ser um apelo desesperado.

— *Elena!* — gritou Bonnie. — *Elena! Elena!*

Klaus se retraiu.

Por um instante, parecia que só o nome tinha o poder de alarmá-lo. Ou ele esperava que alguma coisa respondesse ao apelo de Bonnie. Klaus ficou parado, escutando.

Bonnie invocou seus poderes, colocando tudo o que tinha neles, lançando sua necessidade e seu apelo na voz.

E o que sentiu... Nada.

Nada perturbou a noite de verão, a não ser o crepitar das chamas. Klaus voltou-se para Bonnie e Stefan e sorriu com malícia.

Então Bonnie viu a neblina se esgueirando pelo chão.

Não — não podia ser neblina. Devia ser fumaça do incêndio. Mas não se comportava nem como uma coisa, nem como outra. Girava em espiral, subindo no ar como um redemoinho mínimo de poeira. Reunia-se numa forma mais ou menos da altura de um homem.

Havia outra a uma curta distância. Depois Bonnie viu uma terceira. A mesma coisa acontecia em toda parte.

A neblina fluía do chão, entre as árvores. Poças, cada uma separada e distinta. Bonnie, olhando emudecida, podia ver por cada mancha, podia ver as chamas, os carvalhos, os tijolos da chaminé. Klaus parara de sorrir, parara de se mexer e também observava.

Bonnie se virou para Stefan, incapaz até de formular a pergunta.

— Espíritos inquietos — sussurrou ele com a voz rouca, os olhos verdes resolutos. — O solstício.

E Bonnie entendeu.

Eles chegavam. Vinham do outro lado do rio, onde ficava o antigo cemitério. Do bosque, onde incontáveis covas improvisadas foram cavadas para despejar corpos antes que apodrecessem. Os espíritos inquietos, os soldados que combateram aqui e morreram na Guerra Civil. Uma horda sobrenatural atendendo a seu apelo por ajuda.

Eles tomavam forma. Eram centenas.

Bonnie agora via seus rostos. Os contornos nebulosos enchiam-se de cores pálidas, como aquarelas que se misturavam. Ela viu um lampejo de azul, um pouco de cinza. Soldados da União e confederados. Bonnie vislumbrou uma pistola enfiada num cinto, o brilho de uma espada decorada. Divisas em uma manga. Uma barba escura e basta; outra branca, comprida e bem cuidada. Uma figura pequena, do tamanho de uma criança, com buracos escuros nos olhos e um tambor pendurado na altura da coxa.

— Ah, meu Deus — sussurrou ela. — Ah, *meu Deus*. — Não era um lamento. Era como uma oração.

Não que ela não estivesse com medo deles, porque estava. Era cada pesadelo que teve com o cemitério tornando-se realidade. Como seu primeiro sonho com Elena, quando as coisas se esgueiravam para fora de covas escuras na terra; só que estas coisas não se arrastavam, estavam *voando*, planando e flutuando até que assumiam uma forma quase humana. Tudo o que Bonnie já sentiu com o antigo cemitério — que era vivo e cheio de olhos que observavam, que havia um Poder à espreita por trás de sua quietude — provava-se a verdade. O solo de Fell's Church revelava suas lembranças sangrentas. Os espíritos dos que morreram aqui andavam novamente.

E Bonnie podia sentir a raiva que sentiam. Isso a assustava, mas outra emoção despertava dentro dela, fazendo com que prendesse a respiração e apertasse ainda mais a mão de Stefan Porque o exército de neblina tinha um líder.

Uma figura flutuava diante das outras, mais perto de Klaus. Ainda não tinha forma definida, mas brilhava e cintilava como a luz dourada clara da chama de uma vela. Depois, diante dos olhos de Bonnie, pareceu ganhar substância no ar, brilhando cada vez mais forte, a cada minuto, uma luz sobrenatural. Era mais luminosa do que o círculo de fogo. Brilhava tanto que Klaus inclinou o corpo para trás, fugindo dela, e Bonnie piscou, mas quando se virou para um som baixo, viu Stefan olhando fixamente, os olhos arregalados. E sorrindo, fraco, como se feliz por ser esta a última coisa que via na vida.

Então Bonnie teve certeza.

Klaus largou a estaca. Afastou-se de Bonnie e Stefan para ficar de frente para a luz que pendia na clareira como um anjo vingador. Cabelos dourados voavam com um vento invisível e Elena olhava de cima para ele.

— Ela veio — sussurrou Bonnie.

— Você a chamou — murmurou Stefan. Sua voz falhou com a respiração laboriosa, mas ele ainda sorria. Seus olhos eram serenos.

— Fique longe deles — disse Elena, a voz chegando ao mesmo tempo à mente e aos ouvidos de Bonnie. Era como o tocar de dezenas de sinos, simultaneamente distantes e próximos. — Agora acabou, Klaus.

Mas Klaus se refez rapidamente. Bonnie viu seus ombros subirem com a respiração, percebeu pela primeira vez o buraco nas costas do sobretudo caramelo, onde a estaca de carvalho branco tinha penetrado. Estava suja de um vermelho opaco e agora fluía um sangue novo, enquanto Klaus abria os braços.

— Acham que tenho medo de vocês? — gritou ele. Ele girou o corpo, rindo para todas as formas pálidas. — Acham que tenho medo de qualquer um de vocês? Vocês estão mortos! São poeira no vento! Não podem tocar em mim!

— Está enganado — disse Elena na voz de sinos ao vento.

— Eu sou um dos Antigos! Um Original! Sabem o que isso significa? — Klaus se virou novamente, dirigindo-se a todos eles, os olhos azuis nada naturais parecendo captar parte do brilho vermelho do fogo. — *Eu nunca morri*. Cada um de vocês morreu, seu bando de fantasmas! Mas não eu. A morte não pode me tocar. Eu sou *invencível*!

A última palavra saiu num grito tão alto que ecoou nas árvores. *Invencível... Invencível... Invencível*. Bonnie a ouviu sumir no som furioso do fogo.

Elena esperou até que o último eco morresse. Depois disse, com muita simplicidade:

— Nem tanto. — Ela se virou para olhar as formas nebulosas em volta. — Ele quer verter mais sangue.

Uma nova voz falou, uma voz oca que escorreu como um filete de água fria pela espinha de Bonnie.

— Eu diria que já tivemos muitas mortes. — Era um soldado da União com uma fileira de botões dourados no paletó.

— Mais do que o suficiente — disse outra voz, como o ribombar de um tambor distante. Um confederado portando uma baioneta.

— É hora de alguém dar um fim a isso — disse um velho com uma roupa marrom de tingimento artesanal.

— Não podemos permitir que isso continue — o menino do tambor com os buracos pretos no lugar dos olhos.

— Basta de sangue derramado! — Várias vozes se elevaram a um só tempo. — Basta de mortes! — O grito passou de um a outro até que o volume de som era mais alto do que o rugido do fogo. — Basta de sangue!

— *Não podem tocar em mim!* Não podem me matar!

— Peguem o homem, rapazes!

Bonnie nunca soube quem deu este último comando. Mas foi obedecido por todos, soldados confederados e da União. Eles se elevavam, flutuando, dissolvendo-se em névoa de novo, uma névoa escura com centenas de mãos. Caíram sobre Klaus como uma grande onda, lançando-se nele e o engolfando. Cada mão o segurou, e embora Klaus lutasse e batesse braços e pernas, eles eram muitos. Em segundos, Klaus foi obscurecido por eles, cercado, tragado pela neblina escura. Ela subiu, girando como um tornado, de onde era possível ouvir uns gritos fracos.

— Não podem me matar! Sou imortal!

O tornado girou no escuro para além da visão de Bonnie. Foi seguido por uma trilha de fantasmas como a cauda de um cometa, disparando no céu noturno.

— Para onde o estão levando? — Bonnie não pretendia dizer isso em voz alta; simplesmente saiu antes que ela pudesse raciocinar. Mas Elena ouviu.

— Onde ele não prejudicará mais ninguém — disse ela, e sua expressão impediu que Bonnie fizesse mais perguntas.

Houve um grito, um balido do outro lado da clareira. Bonnie se virou e viu Tyler, em sua horrível forma, parte humana, parte animal, de pé. Não havia necessidade do bastão de Caroline. Ele olhava Elena e as poucas figuras fantasmagóricas e vagas que restavam.

— Não deixem que me levem! Não deixem que me levem também!

Antes que Elena pudesse falar, ele girou o corpo. Por um instante olhou o fogo, mais alto do que sua cabeça, depois mergulhou nele, chegando ao bosque. Por uma brecha entre as chamas, Bonnie o viu cair no chão, apagar o fogo em seu corpo aos tapas, depois se levantou e correu de novo. Em seguida o fogo crepitou mais alto e ela não conseguiu ver mais nada.

Mas ela se lembrou de uma coisa: Meredith — e Matt. Meredith estava deitada e apoiada, a cabeça no colo de Caroline, olhando. Matt ainda estava imóvel, de costas. Ferido, mas não tanto quanto Stefan.

— Elena — disse Bonnie, atraindo a atenção da figura luminosa, depois simplesmente olhou para ele.

O brilho chegou mais perto. Stefan não piscou. Olhou no cerne da luz e sorriu.

— Ele agora foi detido. Graças a você.

— Foi Bonnie que nos chamou. E ela não podia ter feito isso no lugar e na hora certas sem você e os outros.

— Eu tentei cumprir minha promessa.

— Eu sei, Stefan.

Bonnie não gostou do tom desta conversa. Parecia demais uma despedida — e uma despedida permanente. Suas próprias palavras flutuaram de volta a ela: *Ele pode ir para outro lugar ou... ou simplesmente sumir*. E ela não queria que Stefan fosse *a lugar nenhum*. Certamente alguém que parecia um anjo daquele jeito...

— Elena — disse ela —, não pode... fazer alguma coisa? Não pode ajudá-lo? — Sua voz tremia.

E a expressão de Elena ao se virar para Bonnie, gentil mas triste, foi ainda mais perturbadora. Lembrou-a de alguém, e então ela se recordou. Honoria Fell. Os olhos de Honoria a fitaram desse jeito, como se vissem todos os erros inevitáveis do mundo. Toda a injustiça, todas as coisas que não deviam existir, mas existiam.

— Posso fazer uma coisa — disse ela. — Mas não sei se é a ajuda que ele quer. — Ela se voltou para Stefan. — Stefan, posso curar o que Klaus fez. Esta noite tenho todo esse Poder. Mas não posso curar o que Katherine fez.

O cérebro entorpecido de Bonnie se debateu com isso por um tempo. O que Katherine fez — mas Stefan se recuperou há meses da tortura de Katherine na cripta. Depois ela entendeu. O que Katherine fez foi tornar Stefan um vampiro.

— Faz muito tempo — dizia Stefan a Elena. — Se você *curasse* isso, eu viraria um monte de pó.

— Sim. — Elena não sorriu, só o olhava fixamente. — Quer minha ajuda, Stefan?

— Para viver neste mundo, nas sombras... — A voz de Stefan agora era um sussurro, os olhos verdes, distantes. Bonnie queria sacudi-lo. *Viva*, pensou ela por ele, mas não se atreveu a dizer por medo de fazê-lo decidir pelo contrário. Então pensou em outra coisa.

— Para tentar — disse Bonnie, e os dois a olharam. Ela retribuiu o olhar, o queixo empinado. E viu o começo de um sorriso nos lábios brilhantes de Elena. Elena se virou para Stefan e aquela sugestão mínima de sorriso o contagiou.

— Sim — disse ele baixinho e depois, para Elena: — Eu quero sua ajuda.

Ela se curvou e o beijou.

Bonnie viu o brilho fluir de Elena para Stefan, como um rio de luz faiscante que o abraçava. Correu por ele como a neblina escura que cercou Klaus, como uma cascata de diamantes, até que todo o corpo de Stefan brilhava tanto quanto o de Elena. Por um instante, Bonnie imaginou poder ver o sangue dentro dele derretendo, fluindo para fora de cada veia, cada capilar, curando tudo o que tocava. Depois o brilho esmaeceu a uma aura dourada, ensopando a pele de Stefan. Sua camisa ainda estava destruída, mas por baixo a carne era lisa e firme. Bonnie, sentindo os próprios olhos arregalados de assombro, não conseguiu deixar de tocar.

Era como qualquer pele. As feridas horríveis sumiram.

Ela riu alto tamanha era a empolgação, depois levantou a cabeça, mais séria.

— Elena... Tem a Meredith também...

O ser luminoso que era Elena já estava se movendo pela clareira. Meredith olhou para ela do colo de Caroline.

— Oi, Elena... — disse ela, quase normalmente, a não ser pela voz fraca.

Elena se curvou e a beijou. A luz fluiu de novo, envolvendo Meredith. E quando desapareceu Meredith se levantou, ficando de pé sozinha.

Depois Elena fez o mesmo com Matt, que voltou a si, parecendo confuso, mas alerta. Ela beijou Caroline também, e Caroline parou de tremer e endireitou sua postura.

Depois Elena foi até Damon.

Ele ainda estava prostrado onde tinha caído. Os fantasmas passaram por cima dele, sem perceber sua presença. O brilho de Elena pairou sobre ele, uma mão luminosa se estendendo para tocar seu cabelo. Depois ela se curvou e beijou a cabeça escura no chão.

Enquanto a luz faiscante se apagava, Damon se sentou e balançou a cabeça. Viu Elena e ficou imóvel; em seguida, com cada movimento cauteloso e controlado, levantou-se. Não disse nada, apenas olhou para Elena, que se voltava para Stefan.

Ele estava em silhueta contra o fogo. Bonnie mal havia notado que o brilho vermelho aumentara tanto que quase eclipsava o dourado de Elena. Mas agora viu e sentiu um arrepio de alarme.

— Meu último presente para vocês — disse Elena, e começou a chover.

Não era uma tempestade de raios e trovões, mas uma chuva forte que ensopou tudo — inclusive Bonnie — e apagou o fogo. Era fresca e fria, e parecia lavar todo o horror das últimas horas, limpando tudo o que acontecera na clareira. Bonnie levantou a cabeça, fechando os olhos, querendo estender os braços e abraçar a chuva. Por fim, soltou o corpo e olhou novamente para Elena.

Elena fitava Stefan e agora não havia sorriso em seus lábios. A tristeza muda voltara a seu rosto.

— É meia-noite — disse ela. — Eu preciso ir.

Bonnie entendeu de imediato, ao ouvir aquele "ir", que não significava temporariamente. "Ir" era para sempre. Elena ia a um lugar que nenhum transe nem sonho podia alcançar.

E Stefan entendeu também.

— Só mais uns minutos — disse ele, estendendo a mão para ela.

— Desculpe...

— Elena, espere... Eu preciso lhe dizer...

— Não posso! — Pela primeira vez a serenidade daquela face luminosa foi destruída, mostrando não só uma gentileza triste, mas um pesar dilacerante. — Stefan, não posso esperar. Eu sinto muito. — Era como se estivesse sendo puxada, retraindo-se deles para uma dimensão que Bonnie não podia ver. Talvez o mesmo lugar para onde foi Honoria quando sua tarefa estava concluída, pensou Bonnie. Para ficar em paz.

Mas os olhos de Elena não transmitiam paz nenhuma. Prenderam-se a Stefan, e ela estendeu a mão para ele, desesperada. Eles não se tocaram. Para onde quer que Elena estivesse sendo puxada, era longe demais.

— Elena... *Por favor*! — Era o mesmo tom que Stefan usara para chamar por ela em seu quarto. Como se seu coração estivesse se despedaçando.

— Stefan — ela exclamou, as mãos estendidas para ele. Mas ela diminuía, desaparecia. Bonnie sentiu o choro se acumular no peito, perto da garganta. Não era justo. Só o que eles queriam era ficar juntos. E agora a recompensa de Elena por ajudar a cidade e concluir sua tarefa era se separar irrevogavelmente de Stefan. Não era *justo*.

— Stefan — chamou Elena de novo, mas sua voz chegou como se viesse de muito longe. A luz quase sumia. Depois, enquanto Bonnie olhava através das lágrimas de desespero, ela desapareceu num piscar de olhos.

Deixando a clareira em silêncio mais uma vez. Todos se foram, os fantasmas de Fell's Church que vagaram por uma noite para evitar que mais sangue fosse derramado. O espírito luminoso que os deixou tinha desaparecido sem deixar rastros, e até a lua e as estrelas estavam encobertas de nuvens.

Bonnie sabia que a umidade no rosto de Stefan não se devia à chuva que ainda caía.

Ele estava de pé, o peito subindo e descendo, olhando o último lugar em que estivera a luz de Elena. E todo o desejo e dor que Bonnie vislumbrara em seu rosto em outras ocasiões não era nada perto do que via agora.

— Não é justo — sussurrou ela. Depois ela gritou para o céu, sem se importar com quem falava. — Não é justo!

Stefan respirava cada vez mais rápido. Agora levantou a cabeça também, não de raiva, mas de uma dor insuportável. Seus olhos vasculhavam as nuvens como se pudessem encontrar o último vestígio da luz dourada, um brilho palpitando por ali. Não conseguiram. Bonnie viu o espasmo percorrer o corpo de Stefan, como a agonia da estaca de Klaus. E o grito que saiu dele foi a coisa mais terrível que ela ouviu na vida.

— *Elena!*

16

Bonnie jamais conseguiu se lembrar muito bem como foram os instantes seguintes. Ela ouviu o grito de Stefan que quase pareceu abalar a terra. Viu Damon partir para ele. E depois viu o clarão.

Um clarão como o raio de Klaus, só que não era branco-azulado. Era dourado.

E tão forte que Bonnie sentiu que o sol tinha explodido diante de seus olhos. Só o que ela conseguiu distinguir por vários segundos foram redemoinhos de cores. E viu algo no meio da clareira, perto da pilha de escombros da chaminé. Algo branco, na forma de um fantasma, só que parecia mais sólido. Algo pequeno e enroscado que tinha de ser alguma coisa, menos o que seus olhos lhe diziam.

Porque parecia uma menina nua e magra tremendo no chão da floresta. Uma menina de cabelos dourados.

Parecia Elena.

Não a Elena cintilante de luz de vela do mundo espiritual, nem a menina pálida e inumanamente linda que foi a Elena vampira. Esta era uma Elena cuja pele cremosa era inchada e rosada e mostrava arrepios sob a chuva. Uma Elena que parecia confusa ao erguer lentamente a cabeça e olhar em volta, como se todas as coisas familiares na clareira lhe fossem desconhecidas.

Era uma ilusão. Ou isso, ou eles lhe deram mais alguns minutos para se despedir. Bonnie repetia isso para si mesma, mas não conseguia acreditar.

— Bonnie? — disse uma voz insegura. Uma voz que não era nada parecida com sinos no vento. A voz de uma jovem assustada.

Os joelhos de Bonnie cederam. Uma sensação desesperada crescia dentro dela. Ela tentou afugentá-la, sem ousar sequer examiná-la ainda. Só olhava para Elena.

Elena tocou a relva diante de si. No início hesitante, depois com mais firmeza, cada vez mais rápido. Ela pegou uma folha nos dedos que pareciam desajeitados, baixou-a, afagou o chão. Pegou-a de novo. Agarrou todo um punhado de folhas molhadas, ergueu-as, sentiu seu cheiro. Olhou para Bonnie, as folhas se espalhando.

Por um momento, elas só se ajoelharam e se olharam a pouca distância. Depois, trêmula, Bonnie estendeu a mão. Mal conseguia respirar. A sensação crescia cada vez mais.

A mão de Elena se ergueu. Na direção da mão de Bonnie. Seus dedos se tocaram.

Dedos de verdade. No mundo real. Onde as duas estavam.

Bonnie soltou um grito e se lançou para Elena.

Num minuto elas se apalpavam num frenesi, com um prazer intenso e inacreditável. E Elena era sólida. Estava molhada da chuva e tremia, e as mãos de Bonnie não a atravessavam. Pedaços de folha molhada e farelos de terra grudavam-se nos cabelos de Elena.

— Você está aqui — disse ela, chorando. — Eu posso tocar em você, Elena!

Elena respondeu, ofegante.

— E eu também posso tocar em você! Estou aqui! — Ela pegou as folhas novamente. — Posso tocar no chão!

— Estou vendo que você pode! — Elas podiam continuar com isso indefinidamente, mas Meredith as interrompeu. Estava a alguns passos, de pé, fitando, os olhos escuros enormes, a cara branca. Ela soltou um ruído sufocado.

— Meredith! — Elena se virou para ela e estendeu o punhado de folhas. Ela abriu os braços.

Meredith, que conseguiu aguentar quando o corpo de Elena foi encontrado no rio, quando Elena apareceu na janela dela como vampira, quando Elena se materializou na clareira como um anjo, ficou parada ali, tremendo. Parecia prestes a desmaiar.

— Meredith, ela é sólida! Pode tocar nela! Está vendo? — Bonnie deu tapinhas em Elena de novo, com alegria.

Meredith não se mexia.

— É impossível... — sussurrou.

— É verdade! Está vendo? É verdade! — Bonnie estava desesperada. Ela sabia que estava e não se importava. Se alguém tinha o direito de se desesperar, era ela. — É verdade, é verdade — entoou. — Meredith, venha *ver*.

Meredith, que ficou encarando Elena aquele tempo todo, soltou outro ruído sufocado. Depois, em um só movimento, voou para Elena. Tocou-a, descobriu que sua mão encontrava a resistência da carne. Olhou no rosto de Elena. E depois se debulhou em lágrimas incontroláveis.

Ela chorou sem parar, a cabeça no ombro despido de Elena. Bonnie afagava alegremente as duas.

— Não acha melhor vestir alguma coisa? — disse uma voz, e Bonnie levantou a cabeça, vendo Caroline tirar o vestido. Caroline fez isso calmamente, de pé com a combinação de poliéster bege, como se fizesse esse tipo de coisa o tempo todo. Sem imaginação, Bonnie pensou novamente, mas sem maldade. Claramente havia ocasiões em que não ter imaginação era uma bênção.

Meredith e Bonnie colocaram o vestido pela cabeça de Elena. Ela parecia pequena dentro dele, molhada e de certo modo pouco natural, como se não estivesse mais acostumada a usar roupas. Mas era de qualquer forma uma proteção contra os elementos.

Depois Elena sussurrou.

— Stefan.

Ela se virou. Ele estava de pé ali, com Damon e Matt, meio separados das meninas. Só a olhava. Como se não só sua respiração, mas sua vida estivesse em suspenso, esperando.

Elena se levantou e deu um passo trôpego para ele, depois outro, em seguida mais um. Magra e frágil dentro do vestido emprestado, ela oscilava ao andar até ele. Como a pequena sereia aprendendo a usar as pernas, pensou Bonnie.

Ele deixou que ela percorresse a maior parte do caminho, limitando-se a olhar, antes de partir na direção dela. Eles acabaram por correr e caíram no chão juntos, os braços envolvendo o outro, abraçando-se com a maior força possível. Nenhum dos dois disse uma só palavra.

Por fim, Elena recuou para olhar Stefan e ele colocou seu rosto nas mãos em concha, limitando-se a fitá-la também. Elena riu alto de pura alegria, abrindo e fechando os próprios dedos e olhando para eles com prazer antes de enterrá-los no cabelo de Stefan. E eles se beijaram.

Bonnie olhava sem pudor, sentindo parte da alegria inebriante se derramar em lágrimas. Sua garganta doía, mas eram lágrimas doces, não as salgadas de dor, e ela ainda sorria. Estava suja, ensopada de chuva e nunca foi tão feliz na vida. Tinha vontade de dançar, cantar e fazer todo tipo de maluquice.

Algum tempo depois, Elena desviou os olhos de Stefan e olhou para todos eles, a expressão quase tão luminosa quanto aquela que flutuou na clareira como um anjo. Brilhando como uma estrela. Ninguém jamais voltaria a chamá-la de Princesa de Gelo, pensou Bonnie.

— Meus amigos — disse Elena. Foi só o que ela disse, mas foi o bastante, isso e o soluço de alegria que soltou enquanto estendia a mão para eles. Eles a cercaram num segundo, jogaram-se nela, todos tentando abraçá-la ao mesmo tempo. Até Caroline.

— Elena — disse Caroline —, me desculpe...

— Está tudo esquecido agora — disse Elena, e a abraçou com a mesma alegria dos outros. Depois segurou a mão forte e a levou brevemente ao rosto. — Matt — disse ela, e ele sorriu, os olhos azuis marejados. Mas não de infelicidade por vê-la nos braços de Stefan, pensou Bonnie. Neste momento o rosto de Matt expressava apenas a felicidade.

Uma sombra pairou sobre o pequeno grupo, vindo por entre eles e a lua. Elena olhou e estendeu a mão novamente.

— Damon — disse ela.

A luz clara e o amor radiante no rosto de Elena eram irresistíveis. Ou deviam ser irresistíveis, pensou Bonnie. Mas Damon avançou sem sorrir, os olhos escuros tão insondáveis e misteriosos como sempre. O brilho que irradiava de Elena não se refletia neles.

Stefan olhou para o irmão sem medo, como olhou o brilho doloroso da luz dourada de Elena. Depois, sem desviar os olhos, estendeu a mão também.

Damon ficou parado, encarando os dois, as duas expressões francas e destemidas, a oferta muda de suas mãos. A oferta de ligação, calor, humanidade. Nada transparecia em seu rosto e ele ficou completamente imóvel.

— Vamos, Damon — disse Matt em voz baixa. Bonnie olhou para ele rapidamente e viu que os olhos azuis agora eram atentos, fitando a face sombria do caçador.

Damon falou sem se mexer.

— Não sou como vocês.

— Você não é diferente de nós, como prefere pensar — disse Matt. — Escute — acrescentou ele, um tom estranho de desafio em sua voz —, sei que você matou o sr. Tanner em legítima defesa, porque você me contou. E sei que você não veio para Fell's

Church porque o feitiço de Bonnie o trouxe aqui, porque eu escolhi os cabelos e não cometi erro nenhum. Você é mais parecido com a gente do que admite, Damon. A única coisa que *não* sei é por que não entrou na casa de Vickie para ajudá-la.

Damon respondeu de pronto, quase automaticamente.

— Porque não fui convidado!

A lembrança inundou Bonnie. Ela mesma na frente da casa de Vickie, Damon ao lado dela. A voz de Stefan: *Vickie, me convide a entrar*. Mas ninguém convidou Damon.

— Mas então, como *Klaus* entrou...? — começou ela, seguindo o próprio raciocínio.

— Isso sem dúvida foi obra de Tyler — disse Damon, tenso. — O que Tyler fez por Klaus em troca de aprender a reclamar sua herança. E ele deve ter convidado Klaus a entrar antes que começássemos a proteger a casa... Provavelmente antes de Stefan e eu chegarmos a Fell's Church. Klaus estava preparado. Naquela noite, ele estava na casa e a menina estava morta antes que eu soubesse o que acontecia.

— Por que não chamou Stefan? — disse Matt. Não havia acusação em sua voz. Era uma simples pergunta.

— Porque não havia nada que ele pudesse fazer! *Eu* sabia com o que vocês estavam lidando assim que vi. Um Antigo. Stefan ia acabar morto e a situação da menina era irremediável, de qualquer modo.

Bonnie ouviu a frieza na voz de Damon e quando ele se virou para Stefan e Elena, seu rosto tinha endurecido. Era como se já tivesse tomado uma decisão.

— Como veem, não sou como vocês — disse ele.

— Isso não importa. — Stefan ainda não havia recolhido a mão. Nem Elena.

— E às vezes os caras bons *vencem* — disse Matt num tom baixo e encorajador.

— Damon... — começou Bonnie. Devagar, quase com relutância, ele se virou para ela. Ela pensava naquele momento em que eles se olharam ao lado de Stefan e ele pareceu tão novo. Quando eles tinham sido só Damon e Bonnie na margem do mundo.

Ela pensou, só por um momento, ter visto estrelas naqueles olhos escuros. E podia sentir em algum lugar nele — um fermento de sentimentos, como desejo, confusão, medo e raiva, tudo misturado. Mas tudo esmoreceu de novo e seus escudos estavam erguidos, e os sentidos paranormais de Bonnie não lhe diziam nada. Aqueles olhos escuros eram simplesmente opacos.

Damon se virou para o casal no chão. Tirou a jaqueta e se postou atrás de Elena. Envolveu os ombros dela na jaqueta sem tocá-la.

— A noite está fria — disse ele. Seus olhos sustentaram o olhar de Stefan por um momento enquanto ele colocava a jaqueta em Elena.

E ele se virou para entrar na escuridão entre os carvalhos. De repente, Bonnie ouviu o farfalhar de asas.

Stefan e Elena deram-se as mãos sem dizer nada, a cabeça dourada de Elena apoiada no ombro de Stefan. Por sobre Elena, os olhos verdes de Stefan se voltaram para o trecho da noite onde o irmão tinha desaparecido.

Bonnie balançou a cabeça, sentido um aperto na garganta. Foi atenuado quando alguma coisa tocou seu braço e ela olhou, vendo Matt ali. Mesmo ensopado, mesmo coberto de musgo e folhas de samambaia, ele era uma linda visão. Ela sorriu para ele, sentindo a volta de seu espanto e de sua alegria. A excitação vertiginosa ao pensar no que acontecera esta noite. Meredith e Caroline também sorriam, e, de repente, Bonnie segurou as mãos de Matt e girou com ele numa dança. No meio da clareira, eles chutaram folhas molhadas, girando e rindo. Estavam vivos, eram jovens e era o solstício de verão.

— Você queria todos nós juntos de novo! — gritou Bonnie para Caroline e puxou a menina escandalizada para a dança. Meredith, com a dignidade esquecida, juntou-se a eles também.

E assim, por um bom tempo na clareira, só o que havia era júbilo.

21 de junho, 7h30

O Solstício de Verão

> *Querido Diário,*
> *Ah, é tanta coisa para explicar e você não acreditaria mesmo. Vou dormir.*
> *Bonnie*

Este livro foi composto na tipografia Minion Pro,
em corpo 11/16,95, e impresso em papel off-white
no Sistema Cameron da Divisão Gráfica
da Distribuidora Record.